新完全マスター 読解

日本語能力試験 N1

福岡理恵子・清水知子・初鹿野阿れ・中村則子・田代ひとみ 著

スリーエーネットワーク

Published by 3A Corporation.
Trusty Kojimachi Bldg., 2F, 4, Kojimachi 3-Chome, Chiyoda-ku, Tokyo 102-0083, Japan

ISBN978-4-88319-571-8 C0081

First published 2011
Printed in Japan

はじめに

　日本語能力試験は、1984年に始まった、日本語を母語としない人の日本語能力を測定し認定する試験です。受験者が年々増加し、現在では世界でも大規模な外国語の試験の一つとなっています。試験開始から20年以上経過する間に、学習者が多様化し、日本語学習の目的も変化してきたため、2010年に新しい「日本語能力試験」として内容が大きく変わりました。新しい試験では知識だけでなく、実際に運用できる日本語能力が問われます。

　本書はこの試験のＮ１レベルの読解問題集として、以下の構成で作成しました。

実力養成編

　第1部　評論・解説・エッセイなど

　第2部　広告・お知らせ・説明書きなど

　　試験に出題されると思われるさまざまな形式の文章を、第1部、第2部に分けて取り上げました。文章一つに問いは一つです。焦点を絞って読む練習ができます。

　第3部　実戦問題

　　第1部・第2部で練習した形式以外の、実際の試験に出題される形式の問題を並べました。これらの問題を解くことによって試験形式に慣れることができます。

模擬試験

　　実際の試験と全く同じ形式の模擬試験問題です。時間を計りながら読解問題を解いてみると、本番でどのように取り組めばいいか、心構えができます。

■本書の特徴

①基礎的な読みのポイントを紹介します。その後、そのポイントの練習をします。

②例題の解説は記号などを用いて、簡潔にわかりやすく説明してあります。練習問題については、詳しい解説を別冊につけました。

③新試験で出題されるお知らせ、説明書き、広告など実用的な文章も多く練習します。

　本書が日本語能力試験の受験に役立つと同時に、日本語を使って学習・生活・仕事をする際の手助けにもなることを心から願っています。

著者

目 次

第3部 実戦問題

別冊 解答と解説

本書をお使いになる方へ

■本書の目的

本書は以下の2点を大きな目的としています。

①日本語能力試験N1対策：N1の試験に合格できる力をつける。
②「読解」能力の向上：試験対策にとどまらない全般的な「読解」の力をつける。

■日本語能力試験N1読解問題とは

日本語能力試験N1は、「言語知識・読解」(試験時間110分)と「聴解」(試験時間60分)の二つに分かれており、読解問題は「言語知識・読解」の一部です。

読解問題はさらに以下の六つの部分に分かれます。

1　内容理解(短文)　4問(200字程度の短文に1問×4題)
2　内容理解(中文)　9問(500字程度の中文に3問×3題

　　　　　　　　　　　　　　ただし、問題数は変更される場合があります。)

3　内容理解(長文)　4問(1000字程度の長文に4問×1題)
4　統合理解　　　　3問(合計600字程度の複数の文章に3問×1題)
5　主張理解(長文)　4問(1000字程度の長文に4問×1題)
6　情報検索　　　　2問(700字程度の広告・パンフレットなどに2問×1題)

■本書の構成

本書では、上で紹介した日本語能力試験に合格できる能力を身につけられるように、日本語の文章や情報素材を読む練習を少しずつ重ねていく構成になっています。

実力養成編	第1部　評論・解説・エッセイなど
	1．文章のしくみを理解する
	2．問いを解く技術を身につける
	第2部　広告・お知らせ・説明書きなど
	1．全体をつかむ
	2．情報を探し出す
	第3部　実戦問題
模擬試験	

第1部から第3部まで、例題の後に練習がありますので、学んだことをもとに問題を解いてみましょう。以下に詳細を説明します。

　第1部は、評論・解説・エッセイなどの文章を取り上げており、二つの部分からなります。

　1．文章のしくみを理解する

　2．問いを解く技術を身につける

1．文章のしくみを理解する―文章全体の意味を捉える練習

　ここでは、文章のしくみを理解する練習をします。

　外国語の文章を読むときは、細かい点に気をとられていると、どうしても全体で何が述べられているのかまで注意が向かないことがあります。そこで、この本ではまず、文章全体で筆者が何を言おうとしているのかに注意を向けて読む練習をします。

　Ｎ１レベルの能力試験を受験しようとする人たちの中には、日本語を読むことが得意ではない人、難しい漢字があると理解ができない人など、さまざまな人がいると思います。また、「文章の部分的な質問には答えられるが、全体で何を言っているのかがわからない」という人もいます。

　そのような人にもわかりやすくポイントを示すため、例題では文章のしくみを図や記号を用いて解説しました。

・［対比］　　ほかのものと比べる

・［言い換え］　ほかの言葉で言い換える

・［比喩］　　ほかのものにたとえる

・［疑問提示文］疑問文を使って論点を提示する

　こうしたしくみに気づくと、文章が理解しやすくなります。読むことが得意な人も、文章をより速く、より正確に理解することができるでしょう。

2．問いを解く技術を身につける―文章の細かい部分を正確に読み取る練習

　ここでは、実際の試験でよく問題に出される、以下のような形式の問いを取り上げ、それに答える技術を紹介し、練習します。

・指示語を問う

・「だれが」「何を」などを問う

・下線部の意味を問う

・理由を問う

・例を問う

　細かい部分を考えることにより、文章を正確に理解できるようになります。

　第1部は、日本語能力試験の「内容理解（短文）」のための練習になります。また、「内容理解（中文）」「内容理解（長文）」を読むための基礎練習にもなります。

第2部：広告・お知らせ・説明書きなど

改定後の日本語能力試験では、評論・解説・エッセイなどの文章以外に、広告やお知らせ、説明書きなどの文章も出題されます。こうした文章では、読み手は評論・解説・エッセイを読むのとは違う読み方をする必要があります。例えば、最初から終わりまで丁寧に読むのではなく、全体にざっと目を通して文章の目的や主旨をつかむ、あるいは、必要な部分だけを読むという読み方です。さまざまなタイプのものに接して、どこに注目すればよいかを知っておきましょう。

1. 全体をつかむ―全体的な内容を尋ねる問い

まず、どのような内容であるのか、全体をつかむ練習をします。

「内容理解(短文)」のための練習です。

2. 情報を探し出す―部分的な内容を尋ねる問い

実際に広告・お知らせ・説明書きなどを読む場合には、何かの目的のために、自分の知りたい情報を探すことが多いです。日本語能力試験でも、そのような問題が出題されます。問いを読み、必要な情報を探し出す練習をします。

主に「情報検索」と「統合理解」のための練習です。

第3部：実戦問題

ここでは、以下のような実際の試験問題と同じ形式の問題を解きます。なお、「内容理解(短文)」は第1部、第2部で練習したので、ここには含まれません。

・内容理解(500字程度の中文に3問)

・内容理解(1000字程度の長文に4問)

・主張理解(1000字程度の長文に4問)

社説・評論など抽象性・論理性のある文章を読んで、全体として伝えようとしている主張や意見がつかめるかを問う問題です。ここでは、部分を問う問題と、全体を問う問題がありますので、それを練習します。

・統合理解(合計600字程度の複数の文章に3問)

複数の文章を読み比べて、比較したり、統合したりしながら理解できるかを問う問題です。

これは、第1部の応用ですが、問題を解く際、気をつけるべき点がいくつかありますので、それを練習します。

・情報検索(700字程度の広告・パンフレットなどに2問)

第2部の2で練習した問題を、試験と同じ形式で練習します。

日本語能力試験の問題と本問題集の対応表

日本語能力試験の問題	試験問題に対応する本問題集の練習問題
内容理解(短文)	第1部 評論・解説・エッセイなど 　1．文章のしくみを理解する　2．問いを解く技術を身につける 第2部 広告・お知らせ・説明書きなど 　1．全体をつかむ　2．情報を探し出す
内容理解(中文)	第3部 実戦問題(基礎練習として第1部、第2部)
内容理解(長文)	第3部 実戦問題(基礎練習として第1部)
主張理解(長文)	第3部 実戦問題(基礎練習として第1部)
統合理解	第3部 実戦問題(基礎練習として第1部、第2部)
情報検索	第2部 広告・お知らせ・説明書きなど 　1．全体をつかむ　2．情報を探し出す 第3部 実戦問題

模擬試験

実際の日本語能力試験と全く同じ形式、同じ数の問題が含まれる模擬試験です。

試験では「言語知識(文字・語彙・文法)・読解」の時間が110分となっていますので、自分で

読解の時間配分を考え、何分くらいかかるか計りながらやってみましょう。

■例題の解説で使う主な記号

・□□□□：注目すべき接続表現　　　　　・　⇧　：指示語が示す先

・◀▶↕：対比　　　　　　　　　　　　　・[　　]：省略部分

・＝‖：言い換え

■表記

・表記は原典に従いました。解説やオリジナルの文章での表記は、常用漢字表(2010年)に準拠

しましたが、一部例外もあります。

・問題本文では、常用漢字表にない漢字や読み方を含む語彙、専門的な語彙など特に読み方が難

しいと思われる語彙にふりがなをつけました。ただし、「情報検索」や、それに類する問題には、

ふりがなをつけていません。原典にあるふりがなは、そのままつけてあります。

・例題の解説、別冊の解説では、すべての漢字にふりがなをつけました。

実力養成編 第1部 評論・解説・エッセイなど

第1部では、評論・解説・エッセイなどを取り上げて、読みの基礎を練習します。
　文章の長さは短いものもあれば長いものもありますが、一つの文章につき問いは一つだけです。注目すべきポイントを絞りました。

1．文章のしくみを理解する―文章全体の意味を捉える練習

　「この文章の内容として最も適切なものはどれか」「この文章で筆者が最も言いたいことは何か」といった問いを取り上げます。「文章のしくみ」を意識して読むと、文章全体の意味がつかみやすくなり、全体的な内容を問う問いにも答えやすくなります。
　「文章のしくみ」を理解する手がかりとして、ここでは

　　1）［対比］　　　ほかのものと比べる
　　2）［言い換え］　ほかの言葉で言い換える
　　3）［比喩］　　　ほかのものにたとえる
　　4）［疑問提示文］　疑問文を使って論点を提示する

を取り上げました。もちろん、すべての文章にこれらが当てはまるわけではありませんが、この四つは一般的によく使われています。

　例題では、次の手順で解説しています。

全体をつかもう

　キーワードからテーマを推測し、その文章のしくみの特徴（対比、言い換え、比喩など）に着目して文の流れを追い、全体をまとめる。

選択肢と比べよう

　「全体をつかもう」でわかったことと選択肢を比べ、正解を選ぶ。

２．問いを解く技術を身につける—文章の細かい部分を正確に読み取る練習

「それは何を指しているか」「＿＿＿とはどういうことか」「だれが＿＿＿したのか」など、部分的な内容を問う問いを取り上げ、文章の細かい部分を正確に読み取る練習をします。

ここでは、代表的な問いの形として、

1）　指示語を問う
2）　「だれが」「何を」などを問う
3）　下線部の意味を問う
4）　理由を問う
5）　例を問う

の５種類を取り上げました。これらの問いを解く技術を身につけましょう。

例題では、次の手順で解説しています。

ステップ１　本文を読んで全体をつかもう

細かい問いに答える問題でも、まずは全体をざっとつかむ。

ステップ２　問いを見て本文から答えを探そう

問いのタイプに合わせた「読みのポイント」を使って、答えを探す。

ステップ３　選択肢と比べよう

ステップ１、２でわかったことと選択肢を比べ、正解を選ぶ。

◆「対比」はある事柄の特徴をはっきりさせるために、別の事柄と比べる書き方である。何と何を比べているか、しっかりつかむ練習をしよう。

◇◇

★ **例題1** 問いに対する答えとして最もよいものを一つ選びなさい。

　かつて私たちを規制したのは、国家思想とかイエの家父長制度というような、はっきりと目にみえる権力とか規制やモラルであったが、今私たちを支配しているのは、そのようなはっきりと目にみえるものではない。個人主義という美名の裏で、情報という「見えざる手」が大きな手を広げているのである。情報が電波に乗り、活字に現れ、それによって私たちは動かされている。そして、自分がどこまで動かされているのかすら、自分で確かめられないほどである。だとすると、現代ほど自分の主体性、価値観を築き上げるのに難しい時代はないのである。

（町沢静夫『成熟できない若者たち』講談社）

問い この文章の内容として最も適切なものはどれか。

1　今は昔に比べて規制の少ない個人主義の社会であるから、主体性や自分の価値観を持つことは容易になっている。

2　今は権力やモラルに代わって情報に支配されるようになり、かえって主体性や独自の価値観を持ちにくくなった。

3　我々は、社会にあふれる情報に動かされずに、自分自身にとって本当に価値あるものを主体的に選ぶべきである。

4　我々は、目にみえる権力や規制に支配されないように、自分の主体性や価値観をしっかりと築き上げるべきである。

全体をつかもう

1）キーワードからテーマを推測する

規制、権力、支配、情報、主体性、価値観　→　テーマは、私たちを支配するもの？

2）「対比」に注目する　（「かつて」と「今」）

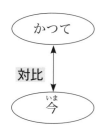

かつて

対比

今

> 私たちを規制したのは、
>
> 　　…はっきりと目にみえる権力とか規制やモラルであった

が

逆接

> 私たちを支配しているのは、
>
> 　　…はっきりと目にみえるものではない。
>
> 　　…情報という「見えざる手」が大きな手を広げている…
>
> 現代ほど自分の主体性、価値観を築き上げるのに難しい時代はない…

3）全体をまとめる

昔は、目にみえる権力やモラルに規制されていたが、

今は、目にみえない情報に支配されている。

今は昔よりも主体性と価値観を築き上げるのが難しい時代である。

選択肢と比べよう

1：規制が少ないとは書かれていない。また、容易ではなく「難しい」と書かれている。

　　（「現代ほど…難しい時代はない」＝現代はいちばん難しい）

2：正解

3：価値があるものを選べとは書かれていない。

4：築き上げるべきだとは書かれていない。

・　かつて　今　←　「対比」になっている語句には　◯◯◯　をつけておこう。

・「が」「しかし」などの逆接表現は「対比」をつかむポイント。　□　をつけておこう。

［対比］

🖩 **練習1** 問いに対する答えとして最もよいものを一つ選びなさい。

　今はどうか知りませんが、旧ソ連では、絵描きであることが尊ばれたそうです。ただし、体制的でないといけませんが……。ともかく「あの人は芸術家だから」とか「あの人はバレリーナだから、配給より少しよけいに食べさせてやらないとかわいそうだ」ということがあったといいます。ニューヨークでも、アーチストのためのマンションというのがあります。職業はみんな平等なのに、アーチストと名のつく仕事についている人は優遇されて(注1)安く住むところが用意されているのだそうです。

　日本では、優遇どころか、たとえば義務教育の教科の中から、美術の時間は無くなるか、もしくは減らされています。国策として科学的発見を願う時代に、「美」などは迂遠な(注2)ことのように思われ、直接コンピューターの教育を徹底すれば足りる、と考えられているようですが、わたしにはそう思えません。科学的にも、芸術的にも「美しいものを創造しよう」とする感性と執拗な努力が両輪となって、新しい境地を開くのです。

（安野光雅『絵のある人生』岩波書店）

(注1) 優遇する：ほかの人よりも良い待遇をする
(注2) 迂遠な：すぐには役に立たない

[問い] この文章で筆者が最も言いたいことは何か。

1　外国と比べ、日本では芸術が軽視されているが、芸術に限らず何かを創造するためには「美」に対する感性を育てることが必要である。

2　日本の義務教育で美術の時間が減らされているのは、科学的な発見を重視し、コンピューターの教育が徹底されるようになったからである。

3　日本でも外国のように、絵描きやバレリーナを尊び、アーチストに安く住むところを提供するべきである。

4　外国と違って、日本では芸術は不要なものと思われがちだが、「美」は人の心を豊かにするために重要なものである。

練習2　問いに対する答えとして最もよいものを一つ選びなさい。

　わたくしの目には、都市としての東京も大阪も大同小異(注1)の感があるのだが、日々まあこんなものかと東京と大阪を往き来して暮らしていると、ときどき《小異》の部分であっと驚く発見をすることがある。

　先日、東京のある雑誌がもっとも《大阪らしい》都市風景を多角的に撮るという企画を立て、どこがいいだろうと相談を受けたわたくしは、迷わず大阪湾岸に広がる工場群と港湾施設と海の風景をその一つに選んだ。(中略)

　ところが、東京の編集者やカメラマンの驚いたこと、驚いたこと。いわく、なぜこんな岸壁(注2)へ一般市民が出られるのかというのだが、なぜ、と尋ねられてこちらが驚いた。出られるのが当たり前だとわたくしは思っていたし、現に釣りをしている人たちがいるのである。

　しかし東京では、岸壁という形で海に近づけるのは、日之出桟橋か竹芝桟橋の水上バスやフェリーの発着場だけだという。

　今度はわたくしの方が、しばし考え込むことになった。東京も、大阪と同じく長い海岸線を持ち、同じように港湾施設や倉庫、工場がひしめき、埋立地も多い。そのすべてが埠頭や桟橋という形で岸壁を持っているが、そのどこにも出られないというのは、嘘か真か。

　これはどうやら真の話らしい。海岸線がすべて企業の私有地ないし港湾局の管理地になっているのは大阪と同じだが、違いは閉じているか否かである。東京はすべての出入口が閉じられていて、大阪はほとんど開いているのである。

(髙村薫『半眼訥訥』文藝春秋)

(注1) 大同小異：細かい違いはあるが、だいたいは同じであること

(注2) 岸壁：船から荷物の積み下ろしなどができるように、海岸に造られた壁

問い　この文章の内容として最も適切なものはどれか。

1　大阪らしい都市風景は海岸線の工場群と港湾施設で、東京の都市風景と似ている。

2　大阪人である筆者にとって、東京では海岸の出入口が逆向きであるのは驚きだ。

3　東京人は一般市民が岸壁に出られることを知らないが、大阪人は皆知っている。

4　同じ大都市でも、大阪は海岸線の岸壁に自由に出入りできるが、東京はできない。

[対比]

■ 練習3　問いに対する答えとして最もよいものを一つ選びなさい。

　いつの頃からかおふくろの味、という言葉をたぶん世の男性たちが作り、その郷愁にこたえてそういう店もでき、もの珍しさに女の私も幾度かのぞいてみると、何のことはない里芋とこんにゃく、ひじきと油揚げの煮付け、ナッパのおひたしなどのことなのである。

　要するにこれは昔のごく常識的な惣菜(注1)であって、何も母親に限らず隣りのおばさんでもうちの下女でも手軽に作り、また町のおかず屋にでも並べられていたしろもので、今だってちょいと一言女房に頼めば家でもすぐ食べられる料理のことではないか。

　ただ、見た目は同じであっても、私にいわせて貰えば今のこれらの料理の素材は、郷愁のなかの昔の味とは似て非なるもの、というべく、第一野菜の味からして全く別物なのである。戦前はどこの家でも野菜をたくさん食べたし、需要とともに味の注文も多ければ、農家も美味しい野菜作りに情熱を込めたものだった。（中略）

　ところで、男性がおふくろの味にあこがれる原因に、主婦の家事の手抜きと子供中心の献立がいわれるが、私もその手抜き主婦の一人としていわせて頂くと、味覚というのは甚だ流動的かつ身勝手なものとはいえないだろうか。つまり生活全般、現代と密着している人間の口に合うものといえばしょせん現代の味覚であって、今はもうないものねだりともいえる昔の味ではないのである。

　おふくろの味ムードに付き合って、漂白(注2)のため皮が固くなり味を失った里芋を、全国画一のだしの素を使って煮ころがしてみたところで味気なさを噛みしめるばかり。

（宮尾登美子『もう一つの出会い』新潮社）

(注1) 惣菜：おかず

(注2) 漂白：日や水に当てたり、薬品を使ったりして白くすること

問い この文章の内容として最も適切なものはどれか。

1　おふくろの味といえば里芋料理だが、今の里芋は昔の里芋より味が薄くて味気ない。

2　おふくろの味は昔の時代のもので、現代人はそれをもの珍しく感じているだけである。

3　男性はおふくろの味を懐かしむが、同じ料理を作っても今は昔と同じ味にはならない。

4　昔と比べて、今の料理が美味しくないのは、主婦が手抜きをしているからである。

コラム1　常識の落とし穴

　皆さんは、試験のとき、ちゃんと文章を読んで答えていますか。「当たり前だ」と思うかもしれませんね。でも、本当にそうでしょうか。

　一つ例を挙げて考えてみましょう。

　ここに、「地球温暖化」についての問題があるとします。

今世界中で話題になっていることですから、皆さんも「温暖化」についてはいろいろ見たり聞いたりしているでしょう。さて、問い はこうです。

　　　　　問い ①地球が温暖化している原因は何か。

　　　1　二酸化炭素の増加

　　　2　熱帯雨林の減少

　　　3　太陽の活動周期

　　　4　海水温度の上昇

　Aさんは、自信満々に1番を選びました。

「簡単な問題だなあ。温暖化の原因が二酸化炭素（CO_2）なのは、常識だよ！」

そして、正解を確認すると…答えは3番だったのです。

　筆者は「温暖化についての一般の常識は間違っている」と考えている人でした。この文章は「温暖化の原因はCO_2ではなく、太陽の活動にある」という説を紹介したものだったのです。きちんと読めば、Aさんにも正解が選べたはずです。

　ところが、「常識」がAさんの邪魔をしてしまいました。文章も一応読みましたが、結局、「常識」に合う選択肢を選んでしまったのです。実は、これはよくある間違いです。特に、長文の場合や、難易度の高い語彙や漢字が多い場合などは、こういう間違いをしやすくなります。

　試験の「筆者の主張や考え方を読み取る問題」では、「常識」で答えられるような問題は出題されません。「よく知っているテーマ」についての文章ほど、注意して読みましょう。

練習4 問いに対する答えとして最もよいものを一つ選びなさい。

　多少の誤解を恐れずに言うと、私は、いま、人びとは「支配」というものを求めはじめているのではないかと感じるのです。個人個人が、てんでんばらばら、勝手気ままに行動するのではなく、ある程度の協調や団結のもとに行動しようとしはじめている。そんな動きを感じるのです。人びとのこのような心理の変化が、「リーダーシップ論」の台頭(注1)と関係しているのではないでしょうか。

　ここ十年くらい、この国のほとんどの組織は、——企業でも、組合でも、地域共同体でも——、固定化された構造を「壊す」、あるいは「解体する」方向に進んできたと思います。「個人の自由」とか「個人の意思」といった言葉がとにかくよしとされ、反対に、上意下達式(注2)に命令がなされることは「悪」であるかのように見なされてきました。

　多くの企業で、「チームワーク」より「個人の能力」が重視され、「権限委譲」とか「個人の裁量」といった言葉が、キーワードのように叫ばれてきました。年功序列型から成果型へのシフトが進み、給与の面でも、「固定給」から個人の出来高による「能力給」に変えるところが続出しました。

　この傾向は先進的な組織ほど顕著(注3)で、がんじがらめの管理をやめて、個人が自由に能力を発揮できる環境作りをしよう、と叫んできました。もちろん、実態はそれほど「個人化」や「自由化」は進んでいなかったかもしれませんが、そうした取り組みが社会の新しいトレンドのようにもてはやされてきました。

　このような傾向のために、「リーダーシップ論」も、しばらく流行らなかったのです。

（中略）

　ではなぜ、いまになって「リーダーシップ論」が再燃してきたのでしょうか。

　その理由の一つは、社会生活においても、プライベートにおいても、極度な情報化などのせいで「個人化」があまりに進みすぎたために、多くの人がどうしていいかわからなくなってきたからではないでしょうか。すなわち、自由になりすぎたためにもたらされた「孤独」のせいで、つらくなってきたのです。

（姜尚中『リーダーは半歩前を歩け——金大中というヒント』集英社）

（注1）台頭：勢いを持って目立ってくること
（注2）上意下達式：地位が上の者が、下の者に一方的に意思を伝えるというやり方
（注3）顕著：はっきり目立つ

問い この文章の内容として最も適切なものはどれか。

1　ここ十年ほどは、人びとは古い構造を壊し、個人の意思や自由を重視してきた。しかし、個人化が行きすぎた結果、人びとはいま、逆に支配を求めはじめている。

2　ここ十年ほどは、多くの組織でチームワークよりも個人の能力を重視しようとしてきた。しかし、今でもそれほど個人化や自由化は進んでいない。

3　ここ十年ほどは、組織は個人の能力を重視し、自由に能力を発揮できる環境を作ってきた。しかし、個人化が進みすぎたため、組織はまた管理を強めはじめている。

4　ここ十年ほどは、組織においても個人の意思や能力を評価するようになってきた。その結果、人びとは能力の高いリーダーを求めるようになってきた。

2)［言い換え］ほかの言葉で言い換える

◆重要な語句や文は、「同じ意味の、ほかの語句や文」に変えて何度も述べられたり、詳しく説明されたりする。このような「言い換え」を正しくつかむ練習をしよう。

◇◇◇

☆ **例題2** 問いに対する答えとして最もよいものを一つ選びなさい。

胃の存在は、しばしば意識される。多くの人が、日常的に「胃が痛い」とか、「胃が悪い」とか言う。だからといってそれが本当とはかぎらない。

指の先が痛いというのは、はっきりわかる。なぜかというと、脳には指に相当する知覚の領野が、ちゃんとあるからである。逆に、脳のその部分に、なにかが起これば、肝心の指はたとえなんともなくとも、われわれは指が痛いとか、かゆいとか、なにかが触ったとか、そういう判断をする。つまり体の表面に関しては、われわれは脳に地図を持っている。体表とは、外界とわれわれの体とを、境する部分だからである。そこはいわば国境のようなもので、脳という司令部は国境で起こることであれば、それが国境のどの部分で起こったできごとかを、明確に把握しているのである。

ところが内臓に関しては、脳にそういう地図はないらしい。そこは本来、「うまくいっている」はずの部分なのであろう。だから、脳はそこに関して、細かい地図を用意していない。それが用意してあれば、胃の小彎側の噴門から約三分の一の部分が痛いとか、幽門部の始まりの部分が輪状に痛むとか、見てきたようなことが言えるはずなのだが、もちろんそれは不可能である。

（養老孟司『からだを読む』筑摩書房）

問い この文章の内容として最も適切なものはどれか。

1　体表に関する痛みと内臓に関する痛みとでは、脳の把握のしかたに違いがある。

2　脳が地図を用意したことによって、体の痛みを明確に把握できるようになってきた。

3　指の先が痛いのと同じように胃が痛いと判断するためには、訓練が必要である。

4　体表はいわば国境のようなものだから、内臓よりも体表のほうを大切にするべきだ。

全体をつかもう

1）キーワードからテーマを推測する

胃、痛い、指、脳、地図　→　テーマは、体と痛み？

2）「対比」（「胃」と「指の先」）に注目し、その「言い換え」を追う

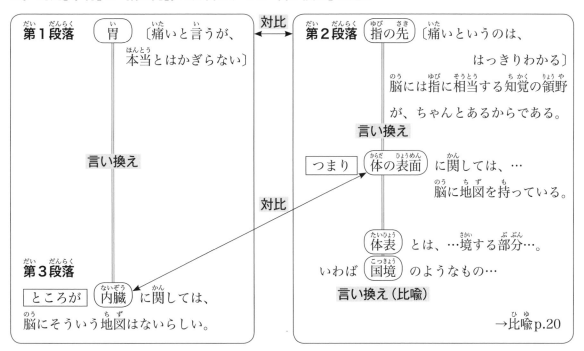

第1段落　胃〔痛いと言うが、本当とはかぎらない〕

対比

第2段落　指の先〔痛いというのは、はっきりわかる〕

脳には指に相当する知覚の領野が、ちゃんとあるからである。

言い換え

つまり　体の表面に関しては、…脳に地図を持っている。

対比

体表　とは、…境する部分…。

いわば　国境　のようなもの…

言い換え（比喩）

→比喩p.20

第3段落

ところが　内臓　に関しては、脳にそういう地図はないらしい。

3）全体をまとめる

体の表面（＝指の先）に関しては脳に知覚の領域があるので、痛みがはっきり把握できるが、内臓（＝胃）に関しては脳にそれがないので、痛みがはっきり把握できない。

選択肢と比べよう

1：正解（「体表」＝「体の表面」）
2：脳にあるのは体全体の地図ではなく、体表の地図だけである。
3：訓練が必要だとは書かれていない。
4：内臓と体表のどちらを大切にすべきかということは書かれていない。

- ・「つまり」「要するに」などの接続表現の後には、それまで述べられてきたことの「言い換え」が来る。
  このような接続表現には　□　をつけておこう。

[言い換え]

練習5　問いに対する答えとして最もよいものを一つ選びなさい。

　私の通った幼稚園には、幅二十センチほどの帯状の地獄があった。

　それは「お弁当室」と呼ばれる部屋の戸口の床の、なぜかそこだけタイルの色が変わっている部分のことで、そこを踏むと地獄に落ちると言われていた。

　どんな風に落ちるのかは誰にもわからなかったが、踏んだ瞬間に地面がガバッと裂けて、体ごと底なしの穴に吸い込まれてしまうのではないかというのが、園児たちのあいだでのもっぱらの定説だった。お弁当室には、毎日午に各自お弁当を取りに行かなければならなかったので、そのたびにみんな決死の覚悟で「地獄」を飛び越えた。

（岸本佐知子『ねにもつタイプ』筑摩書房）

問い この文章の内容として最も適切なものはどれか。

1　筆者が通った幼稚園には「地獄」と呼ばれる部屋があり、園児たちはそこへ入ることをとても怖がっていた。

2　筆者が通った幼稚園には「地獄」と呼ばれる床があり、午になると園児たちはその床を踏まなければいけなかった。

3　筆者が通った幼稚園の先生たちは、園児たちに床の一部を踏ませてはいけないと考えていて、そこを「地獄」と呼んでいた。

4　筆者が通った幼稚園の園児たちは、幼稚園の床の一部を「地獄」の入り口と考えて、そこを絶対に踏まないようにしていた。

練習6 問いに対する答えとして最もよいものを一つ選びなさい。

　昭和四十年代の庶民には、家族そろってデパートへ出かけるという日曜日の娯楽があった（平成の今日においては、たんなる買いものにすぎず、娯楽とは呼ばないだろう）。（中略）

　そうした日曜日を、子どもは「おでかけ」と呼び、まえの週のうちから「こんどの日曜日」を楽しみにして、ふだん着とはちがう「よそゆき」でめかしこんで (注1) 家をでる。ハンドバッグをさげ、帽子をかぶり、運動靴ではないエナメルのベルトつきの靴をはく。

　昭和四十年代のデパートとは、おとなも子どもも、それなりのおしゃれをして出かけるところだった。このつつましく、ささやかな幸福の感じは、バブル期以降に子ども時代を過ごした人には、まったく伝わらないと思う。昭和四十年代の多くの人々にとってのおしゃれとは、白いものは白く、磨くべきものは磨き、アイロンできちんとしわをのばし、しゃんとすべきときには背筋をのばすことであって、ぜいたくな衣装で着飾ることではなかった。

（長野まゆみ「あのころのデパート　よそゆきと、おでかけ」『yom yom』2010年10月号　新潮社）

(注1) めかしこむ：がんばって、おしゃれをする

[問い] この文章の内容として最も適切なものはどれか。

1　昭和四十年代のデパートは、家族そろって毎週出かける日常的な場所だった。

2　昭和四十年代のデパートは、洗濯や掃除をきちんと済ませ、姿勢を正して行くべき場所だった。

3　昭和四十年代には、きちんとした身なりをして、家族でデパートへ出かけることが娯楽だった。

4　昭和四十年代には、ぜいたくな服で着飾って、家族そろってデパートで買いものをすることが娯楽だった。

[言い換え]

練習7　問いに対する答えとして最もよいものを一つ選びなさい。

　そもそも医学や医療が生まれ発達してきたのは、人間に幸福をもたらすためであるということに異論を唱える人はいないだろうし、医学医療の恩恵により得られる「健康」が、人生の目的ではないということにも賛同いただけるであろう。つまり、医学医療は幸福のためのインフラ(注1)と考えたほうがよいことになる。一般にインフラは「安定供給による安心」が基本である。蛇口をひねれば水が出て、電気は常につき、電話はいつでもつながる。これが損なわれると国民はパニック(注2)になる。(中略)医療政策を考えたり、医療を学び実践するものは「幸福のための医療」を念頭に行動するべきであろう。

（寺下謙三「健康」『imidas 2007』集英社）

(注1)インフラ：産業や生活の基盤を形成する道路・鉄道・通信施設などの構造物

(注2)パニック：災害などによる混乱状態

問い　この文章で筆者が最も言いたいことは何か。

1　水や電気などは国民に必要なインフラであり、その上に医学医療が存在すべきだ。

2　健康は医学医療によって保たれるのだから、医学や医療をさらに発展させるべきだ。

3　健康のことばかり気にするのではなく、いかに幸せに生きるかを考えるべきだ。

4　医学医療は幸福な生活の基礎であり、常に必要なときに供給されるべきだ。

[言い換え]

練習8 問いに対する答えとして最もよいものを一つ選びなさい。

　わたしは幼い頃から銭湯育ちで、ほとんど毎日当たり前のように、知らない裸、たくさんの裸とともに生活の一部分を過ごしてきたのですが、銭湯が好きな反面、いつもなんだか落ち着かない、そわそわしたような気分もありました。女風呂には男児を除いては基本的に女性しかいないのですが、同じ女性という枠組みの中でも、赤ん坊、老女、妊婦、少女、そのときどきの本当に様々な体が一堂に会するわけです。

　お湯につかってそんなたくさんの体のバリエイションを眺めていると、赤ん坊を見ては「わたしにもあんなときがあった」と思うし胸のしっかり膨らんだ体を見ては「もうすぐわたしも膨らむのか」と複雑な気分になったし、幼少の頃は想像力が追いつかなかった老女の体を見て、最近はああこれも、順当にいけばわたしの体の未来である、としみじみ感じるようになり、そうすると日々変化する替えの利かない自分の体を抱えながらも、そこにあるたくさんの体がすべて自分の体である、繋がっているのだと思えてくるから不思議。そんな錯覚というか実感に襲われることがある。あれもわたしだ、これもわたしだ、というように。

　なるほど個人がひとつきりの体でその人生を生き、それを指して「わたし」と言いながらも全部がわたしと感じるゆえに「このわたし」なんてものは個人を超えた大きなものの、やっぱり一瞬間でしかないような気持ちにさせられます。

　　　　　　　　　　　　　　　　　　　　（川上未映子『世界クッキー』文藝春秋）

問い　筆者は、銭湯へ行くとどう感じると言っているか。

1　老女たちの裸を見て「自分も将来ああなってしまうのは悲しい」と感じる。

2　他者の体と比較することで「わたしの体は不完全なものである」と感じる。

3　様々な世代の裸を見て「自分は大きなものの一瞬間に過ぎない」と感じる。

4　少女と老女を比較して「人間の体型が変化していくのは不思議だ」と感じる。

[言い換え]

練習9 問いに対する答えとして最もよいものを一つ選びなさい。

　赤ちゃんが無事に誕生して、生まれて初めて見せる笑い、それを「エンジェル・スマイル」と言ってきた。どんな赤ちゃんにも現れるという。授乳を受け安心してすやすやと眠っているときに見られるのであるが、この何とも言えない微笑を見て、親が「笑った！　笑った！」と反応して喜ぶ。もちろん赤ちゃんに親の反応が分かるはずもないが、この微笑は、赤ちゃんがこの世に出てきて、初めて親に示す挨拶ではないか、と私は解釈したい。親を喜ばせ、よろしくお願いしますというサインではないかと考えるのである。人間は、一人では生きられず、生まれたての赤ちゃんは全く無力で、親の世話がなければ生きられない存在である。だからこそ、微笑が親へと送られるのだ。そういう仕組みが人間の遺伝子に刷り込まれてあるのだと考えたい。私は、人間が生得的(注1)に備えた「笑いの能力」はまず、新生児の微笑から顕在化(注2)すると考える。そして、その微笑が、人間関係の最初に位置するところの笑いと考えておきたいのである。

　この新生児微笑は、人によってはまったく問題にもされず、一種の生理的痙攣(注3)であると言う人がいる。私は、ある助産婦さんに、この赤ちゃんの微笑はどのようにとらえていますかと尋ねたところ、その方は先輩たちから「神さんが笑わせている」と教えられてきて、痙攣などと思ったことはないと言う。「神さんが笑わせている」という表現は言い得て妙(注4)である。

（井上宏『笑い学のすすめ』世界思想社）

（注1）生得的：生まれつき持っている　　（注2）顕在化：はっきり表れること
（注3）痙攣：筋肉が発作的に細かく動くこと　　（注4）言い得て妙：うまい言い方

[問い] この文章で筆者が最も言いたいことは何か。

1　赤ちゃんが眠っているときに起こす痙攣の一種は、一般的にエンジェル・スマイルと呼ばれている。

2　エンジェル・スマイルは、笑いによって他者といい関係を作ろうとする人間の能力の現れだと考えられる。

3　科学的に分析した結果、人間の遺伝子にはエンジェル・スマイルの仕組みが刷り込まれていることが分かった。

4　エンジェル・スマイルを「神さんが笑わせている」と表現する人がいるが、この表現には誤解が含まれている。

［言い換え］

練習10 問いに対する答えとして最もよいものを一つ選びなさい。

チーム全員でものごとを成すというのは本当に面白いが、ときにはチームが一つにまとまらず、あるメンバーがおびただしくチームの足並みを乱す要因になってしまうこともある。大変残念なことだが、もしそうなったら、リーダーはその現実から絶対に目を背けないことだ。

周りのメンバーからNOを突きつけられた人については、その人がどうしても変われないなら、あなたがチームから外すことを決断する勇気もときに必要だ。

ただし勘違いしてはならない。外すという決断は、決して軽々しくしていいものではない。そもそも、周りとかみ合わない人がチームにいるというのはよくあること。それはまだ、本人に「変わる」余地がいくらでもある状態であり、まずはあなたがその人を変えていけばいい。

たとえば私は、他のメンバーの反応がよくない人ほど、１対１で何度も話し合うようにしている。その席では「周りがこんな不満を感じている」ということを率直に伝え、こうして話し合っていることをメンバーにもわかってもらっている。そのうえで、数か月後に周囲との関係が改善されていなければ、本人に異動を打診。それならば残念な結果になっても、周りのメンバーも納得するし、誰もが受け入れやすくなると考えているのだ。つまり、チームからあるメンバーを外すなら、外すという決断の「重み」を本人にも周囲にも感じてもらえるよう、まずあなたが正面切ってその人に何度も働きかけることが先なのだ。

(藤巻幸夫『フジマキ流　アツイチームをつくる　チームリーダーの教科書』インデックス・コミュニケーションズ)

問い この文章で筆者が最も言いたいことは何か。

1　リーダーは、チームを乱すメンバーを外す前に、その人に何度も働きかけるべきだ。

2　リーダーは、チームを乱すメンバーに注意はできても、その人を辞めさせる権利はない。

3　リーダーはメンバー間のいい関係を保つために、メンバーの不満を聞き、全員でよく話し合うべきだ。

4　問題のあるメンバーを改善できなかったリーダーは、周囲の人の意見を聞く必要がある。

3) [比喩] ほかのものにたとえる

◆「比喩」とは、述べたい事柄を、別の事柄に言い換えて（＝たとえて）述べることである。何が何にたとえられているか、しっかりつかむ練習をしよう。

◇◇

☆ **例題3** 問いに対する答えとして最もよいものを一つ選びなさい。

　もちろん、人生には多少は苦しいこともあろうから、それはそれなりにやってよい。山を登るのに、汗をかくこともあろう。しかしぼくは、それを山頂をめざすためとばかり思うより、登り道のあれこれを、汗を流しながらも楽しむほうを好む。山頂の白雲に思いをはせることはあっても、それは夢でいろどりをそえるためで、やはり現在の登り道にこそ、楽しみはある。

　山頂を望み、そして山頂に達することで満足するだけでは、山だっておもしろくあるまい。まして、人生は山登りではない。山頂なんて定まっていない。

（森毅『まちがったっていいじゃないか』筑摩書房）

[問い] この文章で筆者が最も言いたいことは何か。

1　山登りをするのは、人生を楽しむためであって、人生の目的ではない。

2　人生の目標に達することばかり考えず、今生きていることを楽しむほうがいい。

3　人生は山登りとは違うのだから、それほどおもしろいことばかりではない。

4　山登りは、山頂に達することより、登り道を楽しむことにこそ意味がある。

全体をつかもう

1）キーワードからテーマを推測する

初めと終わりの部分のキーワード：人生 → テーマは、人生？

その間のキーワード：山、山頂、登り道 → テーマは、山登り？

｝テーマはどちら？

2）「比喩」に注目する

「人生」についての文と、その直後にある「山登り」の文に注目する。

二つの文は構造がほとんど同じである。ここから、「人生」を「山登り」にたとえているのではないかと推測できる。（「山登り」は「比喩」？）

3）「山登り」の話を、「人生」の話に言い換えてみる

〔山登りの話〕　　　　　　　〔人生の話〕

山頂をめざす	＝	目標をめざす
登り道	＝	生きていくこと
山頂の白雲に思いをはせる	＝	目標に達したときのすばらしさを夢見る

「山登り」の話は、「人生」の話にすべて言い換えられることがわかる。また、文章の終わりに「まして、人生は山登りではない」と「人生」の話に戻っていることからも、「山登り」は比喩で、テーマは「人生」だと確認できる。

4）全体をまとめる

人生の目標に達すること（＝山頂をめざす）よりも、今生きていること（＝現在の登り道）にこそ楽しみはある。

選択肢と比べよう

1：「山登り」をするのは「人生」を楽しむためだ、とは書かれていない。

2：正解

3：おもしろいことばかりでないのは「山登り」も同じである。

4：この文章のテーマは「人生」であって「山登り」ではない。

・それまでの話と全然関係のない言葉が突然出て来たら、「比喩」かもしれないので、注意しよう。

［比喩］

練習11 問いに対する答えとして最もよいものを一つ選びなさい。

　物体は激しく動けば、それだけ摩擦が大きくなる。人間だって、激しく動くと熱を持つのだ。端から見れば、輝いている人間のことが、きっと羨ましく見えるのだろう。

　だけど、輝いている本人は熱くてたまらないのだ。

　星だって、何千光年という遠くの地球から見れば、美しく輝く存在だ。

　「いいなあ、あの星みたいに輝きたい」

人はそう言うかもしれないけれど、その星はたまったもんじゃない。何億度という熱で燃えている。しかも、燃え尽きるまで、そうやって輝いてなくちゃいけない。

　これは真面目に、けっこう辛いことなのだ。

　カッコつけているわけじゃない。自分がそうなってみて、実感としてそう感じる。

（北野武『全思考』幻冬舎）

問い この文章で筆者が最も言いたいことは何か。

1　輝いて見える星のように、人もいずれは燃え尽きてしまう運命にある。

2　人は成功した人間を羨むが、本人は辛く苦しい思いをし続けている。

3　人は星のように輝いて初めて、生きることへの情熱が実感できる。

4　人間も物体と同じで、激しい運動をすれば摩擦で体が熱くなる。

練習12 問いに対する答えとして最もよいものを一つ選びなさい。

　鼻は口の上に建てられた門衛小屋のようなものである。生命の親の大事な消化器の中へ侵入しようとするものをいちいち戸口で点検し、そうして少しでも胡散臭い（注1）ものは、即座に嗅ぎつけて拒絶するのである。

　人間の文化が進むにしたがって、この門衛の肝心な役目はどうかすると忘れられ勝ちで、ただ小屋の建築の見てくれ（注2）の美観だけが問題になるようであるが、それでもまだこの門衛の失職する心配は当分なさそうである。感官（注3）を無視する科学者も、時には匂いで物質を識別する。

（寺田寅彦「匂いの追憶」『椿の花に宇宙を見る』夏目書房）

（注1）胡散臭い：なんとなく怪しい　（注2）見てくれ：外見　（注3）感官：感覚器官

［比喩］

問い この文章で筆者が最も言いたいことは何か。

1　匂いでものを識別するという鼻の役割は、これからもなくならないだろう。

2　現代人は、鼻の本来の役割より、形の美しさばかりを気にしている。

3　鼻の役割は、体の中に悪いものを入れないようにするということである。

4　科学者たちと同じように、我々も鼻の役割を大切にするべきである。

練習13　問いに対する答えとして最もよいものを一つ選びなさい。

　「くつろぐ」というのは、その語感といい、平仮名で書いたときののびやかさといい、私の好きな言葉の一つである。もちろん、くつろぐ状態そのものも、大好き。

　そして、私がいちばん手っとり早くくつろげるのは、一時間ほどで行ける箱根（はこね）の温泉へ浸ることであった。

　常宿（じょうやど）にしているＰホテルで、緑濃い風景を眺め、湯にのびのびと手足をのばせば、日ごろはりつめていたものが、一気にゆるむというか、融（と）けて、流れて、去って行く。

　ところが、この一年、それができなくなった。

　箱根へは、いつも家内と一緒に出かけていたのが仇（あだ）になって（注1）、目に入ったとたん、ホテルの建物が物を言う。

　ドアも、ロビーも、エレベーターも、廊下も、もちろん、いつもの部屋も。

　そのドアも、テーブルも、ソファーも、すべてが語り出す。家内のことを、その家内が居なくなったことを。

（城山三郎『この命、何をあくせく』講談社）

（注1）仇（あだ）になる：かえって悪い結果になる

問い この文章の内容として最も適切なものはどれか。

1　くつろぐなら箱根（はこね）が一番だが、最近は妻が留守がちで一緒に行けなくなった。

2　くつろぐなら箱根が一番だったのだが、最近はホテルがうるさくてくつろげない。

3　箱根に一人で行くと、いつも妻とくつろいでいた場所が新鮮に思われて意外である。

4　箱根に行くと何を見ても妻を思い出すため、今はもう箱根ではくつろげない。

練習14　問いに対する答えとして最もよいものを一つ選びなさい。

　素晴らしい短編小説に出会うと、自分だけの宝物にしたくなる。小さいけれどしっかりした造りの宝石箱にしまい、他の誰も知らない場所に隠しておく。

　長編小説だとそうはいかない。それは海や川のように世界に横たわっているので、どこかにしまっておけるはずもなく、大勢の人がいつでも自由に眺めたり泳いだり漂ったりできる。

　短編小説との関係はもう少し秘密めいているように思う。読書の途中、心打たれるとしばしば私は「何なんだ、これは……」と、感動の声を上げるのだが、短編の場合は長編に比べてその声の調子がかすれ気味になる。威勢よく机を叩いて叫ぶのではなく、誰かに盗み聞きされないよう用心しながら、自分一人に向かってささやいている。読み終わるとまた宝石箱の中に納め、鍵を掛け、裏庭の片隅にひっそりと湧き出ている泉の底に沈める。

　何かの都合で立ち上がれないくらいに疲れ果ててしまった時、海や川のほとりまではとてもたどり着けそうにない時、自分の庭に隠しておいた宝物が役に立つ。泉に手を浸し、箱をすくい上げ、掌にのるほどの小さな世界にも、ちゃんと人間の営みが満ちあふれていることを確かめれば、もうそれだけで安心だ。自分はただ一人荒野に取り残されているのではなく、誰かの温もりに守られているのだと実感できる。

（小川洋子『博士の本棚』新潮社）

[問い] この文章で筆者が最も言いたいことは何か。

1　素晴らしい短編小説は本棚に並べておくよりも、宝石箱に入れて隠しておいたほうがいい。

2　短編小説より長編小説のほうが数多くの人々に読まれ、価値が認められている。

3　素晴らしい短編小説は大切にとっておきたい存在で、つらい時に読み返すと安心できる。

4　筆者を守ってくれる素晴らしい短編小説の名前は、誰にも教えないと決めている。

コラム2　あなたの意見・筆者の意見

　試験で選択肢を選ぶ際、気をつけなければいけないことの一つに「自分の意見を入れない」ということがあります。例を挙げて考えてみましょう。

　例えば、「人生」がテーマの問題があるとします。

　　　問い　筆者がこの文章で最も言いたいことは何か。
　　　1　年を取ってから困らないように、若いうちに苦労しておくべきだ。
　　　2　年を取ってからではできないので、若いうちにいろいろな経験をしておくべきだ。
　　　3　年を取ってからのことは、若いうちにはあまりわからない。
　　　4　年を取ってからのことを、若いうちに悩んでもしかたがない。

　Aさんは考えます。「若いうちにがんばって働かないと、後で絶対困る。1番だ。」

　Bさんは考えます。「若いときの経験は何より大切だ。答えは2番。」

　そして、正解を見ると…4番でした。筆者の書いた文章は「老後の心配ばかりしていてもしかたがない。だって明日死んでしまうかもしれないではないか。将来のことなんてどうせわからないのだ。」という内容だったのです。

　AさんもBさんもきちんと文章を読み、内容は理解していたはずです。しかし、選択肢を選ぶときになって、「筆者の意見」ではなく、つい「自分の意見」を選んでしまったのです。これは実際によくある間違いパターンの一つです。

　能力試験のようなテストでは、「自分の意見」を問われることはありません。問われるのは「文章に書かれている内容」か「筆者の意見」だけなので気をつけましょう。

　もちろん、その内容や筆者の意見についてどう考えるかは、読み手の自由です。自分の考えが生まれたら、周りの人と話し合ってみましょう。興味があれば、その筆者の本を読んでみるのもいいでしょう。ただし、くれぐれも試験の後で。

4) ［疑問提示文］疑問文を使って論点を提示する

◆読み手に「なぜか」などと問いかける文（疑問提示文）には、多くの場合、文章の論点（筆者が何を述べたいか）が示されている。「疑問提示文」に注目して、論点をつかむ練習をしよう。

☆ **例題4** 　問いに対する答えとして最もよいものを一つ選びなさい。

　明治二十年代は、日本の近代文学史上、最初の女性作家の時代でした。（中略）そのような歴史の流れのなかで、明治時代、とくに二十年代を一つの画期として、女性作家たちが次々と登場するようになったのはなぜでしょうか。

　一つには、西洋思想の影響によって、女性たちをとりまく状況が変化したことがあげられます。明治初期を代表する啓蒙的(注1)な知識人たち—福沢諭吉・中村正直・森有礼ら—は、西洋思想の影響を受け、女性たちの社会的な覚醒(注2)や地位向上が日本の近代化にとって重要な意義を持つことを認識し、雑誌その他のメディアを使って、女性の地位向上の必要性を説きました。新時代の指導的立場を自認する人々が開明的な女性論を展開していくなか、女性の社会進出を受けいれる精神的な土壌が、不十分ではありましたが用意されつつありました。

　そして、何より強調すべきは、女子教育の成立です。明治の女性作家の第一世代は、その多くが女学校での新しい教育を受けた人々でした。明治十年代を中心とする多くの女学校の創立は、それまでの日本には存在しなかった〈女学生〉という新しい層を生み出しました。女学生の絶対数が増加すれば、彼女たちを対象とした雑誌も次々と刊行されるようになります。女性たち自身の内面的な覚醒は、外的・内的条件の両面から促されていきました。このような中で、自ら語る主体であろうとする女性たちが文壇に登場し始めたのです。

（菅聡子ほか『明治 大正 昭和 に生きた女性作家たち—木村曙　樋口一葉　金子みすゞ

尾崎翠　野溝七生子　円地文子』お茶の水学術事業会）

(注1) 啓蒙的：人々に新しい知識を与え教え導く

(注2) 覚醒：目を覚ますこと

問い この文章の内容として最も適切なものはどれか。

1　明治二十年代になって初めて女性が文壇に登場した結果、社会における女性の地位が向上した。

2　明治二十年代に高い教育を受けた女性たちは、女性の地位を向上させる必要があると自ら説くようになった。

3　明治二十年代に女性作家が登場したのは、女性の社会進出を許す土壌と、女子教育の成立があったからである。

4　女性たちが次々と雑誌を刊行した明治二十年代は、日本の近代文学史上、最初の女性作家の時
　　代と呼ばれている。

全体をつかもう

1）キーワードからテーマを推測する

明治、女性、作家　→　テーマは、明治の女性作家？

2）「疑問提示文」に注目する　「なぜ」

> 疑問提示文　…明治時代、とくに二十年代を一つの画期として、女性作家たちが
> 次々と登場するようになったのは　なぜ　でしょうか。

3）「なぜ」の答えとなる部分を中心に内容を読み取る

> 第2段落　一つには、西洋思想の影響によって、女性たちをとりまく状況が変化したこと
> があげられます。
> 　　　　　…女性の社会進出を受けいれる精神的な土壌が…用意され…
> 第3段落　そして、何より強調すべきは、女子教育の成立です。…
> このような中で、自ら語る主体であろうとする女性たちが文壇に登場し始めたのです。

4）全体をまとめる

明治二十年代に日本で女性作家が次々と登場したのは、西洋思想の影響で女性が社会進出でき
る土壌ができてきたこと、また、女子教育が成立していたことが要因である。

選択肢と比べよう

1：女性の地位が向上したのは、女性が文壇に登場したからではない。
2：女性の地位向上の必要性を説いたのは、明治初期の知識人である。
3：正解
4：雑誌を発行したのが女性だとは書かれていない。

［疑問提示文］

／／ 練習15　問いに対する答えとして最もよいものを一つ選びなさい。

　では、いったい、装飾という面から見た、人間と動物との決定的な違いは、どういう点にあるのであろうか。

　このことについて、おもしろい意見を述べている人は、名高い『衣装論』を書いたエリック・ギルである。ギルの意見によると、人間と動物との違いは、人間が服を着ている点にあるのではなくて、むしろ人間が服を脱ぐことができる点にある、というのだ。

　動物にも、立派な服を着ている種族は多いのだけれども、人間が人間たる所以(注1)のものは、自分の意志で、気の向くままに、服を着たり脱いだりすることができる自由、自分の好みに合わなければ、さっさと服を脱ぎ替える自由をもっている点にある。つまり、人間は、自分を満足させるために服を着るのであって、動物には、そういう自由はない、という意味なのである。

　なるほど、そういわれてみれば、その通りにちがいなく、これは当たり前すぎるほど当たり前の話ではないか。ただ、「服を脱ぐ」という点にポイントを置いたところがおもしろく、こういう意見を、パラドックス(逆説)というのであろう。

　着物ばかりではない。人間は室内装飾においても、住宅においても、アクセサリーにおいても、また髪型や化粧においても、自分の好みに合わせて、自由にこれを採用したり捨てたりすることができる。それだからまた楽しいのだ。異性との交友の場合だって、その通りだといったら叱られるだろうか。

(澁澤龍彦『夢のある部屋』河出書房新社)

(注1)所以：わけ、理由

[問い] この文章で筆者が最も言いたいことは何か。

1　動物の中にも、立派な装飾をもっている種族が数多くいる。

2　人は「服を脱ぐ」ものだというのは、パラドックス的な見方である。

3　人間が動物と違うのは、装飾を自由に取捨選択できることである。

4　異性との交友まで装飾だと捉える見方は、一般的とは言えない。

［疑問提示文］

練習16　問いに対する答えとして最もよいものを一つ選びなさい。

　一般に自由はどのように捉_{とら}えられているだろう？

　言葉の使われ方を観察すると、たとえば、自由行動、自由時間という場合、決められたスケジュールがない状態を示している。多くの人は「自由」を、「暇な」とか「することがない」状態としてイメージしているかもしれない。

　必ずしも、「自由」は素晴らしい意味には使われていない。仕事や勉強に追われていると、ついついゆっくりと休みたくなる。少しくらいは怠けたくなる。「一日中寝ていたい」というような欲求が、「自由」から連想される個人的な希望である場合が多い。

　はたして、これが本当の自由だろうか？

　もちろん「支配からの解放」であることにはまちがいない。ただし、多くの人にとっては解放されること自体が、自由の価値になっている。解放されたことで何ができるのか、といった「自由の活用」へは考えが及んでいないように見える。

（森博嗣『自由をつくる　自在に生きる』集英社）

問い　この文章で筆者が最も言いたいことは何か。

1　自由は価値あるものと捉えられているが、実は、必ずしも良いものとは限らない。

2　自由というのは、決められたスケジュールから解放された状態のことである。

3　人は自由にあこがれるが、実際に自由になると、何もしたくなくなってしまう。

4　多くの人は自由を解放としか捉えていないが、解放されてどうするかが重要である。

練習17　問いに対する答えとして最もよいものを一つ選びなさい。

　たとえば、タバコは体に悪いからもうやめようと決心しても、なかなかやめられなかったり、ダイエットを決意して間食はやめようと決めても、目の前にケーキを出されるとつい食べてしまったりするのはなぜなのか。

　多くの人の答えは、「意志が弱い」からというものである。また、英会話を習得するために、毎日テレビの英語番組を見ようと決めたのに３日もつづかない。「どうせやる気がない」からとか「本気じゃない」からだと考える。また、人前ではっきり自分の意見を言えず、われながらじれったいと思う人もいる。なぜだろう。「引っ込み思案(注1)」だから、あるいは「気が小さい」からだろうか？

　このように、「意志の弱さ」「やる気のなさ」「引っ込み思案な性格」というものを、行動の原因として考える人は多い。しかし、意志とか、やる気とか、性格というのはいったい何なのだろう。

　そもそも、自分も含めて、ある人が行儀がいいとか悪いとか、意志が強いとか弱いとか、やる気があるとかないとか、引っ込み思案なのか度胸がある(注2)のか、ということがなぜわかるのかを考えてみたい。禁煙を決意しながらタバコに手が伸びてしまうのは、意志が弱いからだった。では、なぜ、その人の意志は弱いといえるのだろうか。それは、タバコをやめようと思っているのにやめられないからである。どこか変ではないか。

　おかしい理由は２つある。タバコをやめられないことと、意志が弱いこととが循環論に陥っていることが１つ。もう１つは、意志が弱いというのは、タバコを吸う原因ではなく、禁煙を決意したのにタバコを吸っていることを別の言葉で言い換えたにすぎないのである。

（杉山尚子『行動分析学入門』集英社）

(注1) 引っ込み思案：積極的に何かをするのが苦手な性格

(注2) 度胸がある：物事を恐れない強い精神力がある

問い　この文章で筆者が最も言いたいことは何か。

1　多くの人は、意志ややる気や性格が人の行動に影響を与えると考えている。

2　ある行動の原因を、意志や意欲や性格といったものに求めるのはおかしい。

3　意志が弱いというのは、つまり、禁煙できないことの言い換えである。

4　なぜ人が悪癖をやめられないのかは、だれも説明することができない。

コラム3　疑問文に注意

「人はなぜ恋をするのだろうか」

　文章の中でこんな疑問文に出会ったら、論点を見つける大きなヒントです。多くの場合、この後に続く文章で、筆者は「なぜ恋をするのか」に対する答えを述べる形で、自分の論を進めていきます。つまり「疑問提示文」（→p.26）があった場合は、その答えを追っていくことが大切です。

　では、疑問文の答えが本文の中に見つからないときは、どう考えたらいいのでしょう。実は、疑問文の形自体で「（いいえ）…ではない」という意味を表す場合があります。例えば、「それは本当に恋なのだろうか」という文で、「それは恋ではない」という筆者の主張を表す場合です。このように、形は疑問文でも実際には「否定の答え」を主張する表現を「反語」と呼びます。「本当にそうか（＝そうではない）」、「はたして必要なのか（＝必要ではない）」などが代表的な例です。

　ただし、この形がいつも反語とは限りません。「それは本当に恋なのだろうか」に続く文で筆者がいろいろな考えを述べ、「これも恋なのだ」という肯定の結論に至る場合もありますから、注意が必要です。疑問文を見たら、続く文をよく読んで、反語かどうかを判断しましょう。

2. 問いを解く技術を身につける—文章の細かい部分を正確に読み取る練習
1) 指示語を問う

◆「これ・それ・あれ」「このこと・そのこと・あのこと」などの「指示語」が何を指しているかを問う問題である。次の手順で考えよう。
・「指示語」を含む文をよく見る。
・その文の前後を見て、「指示語」の「言い換え」を探す。

☆ 例題5　問いに対する答えとして最もよいものを一つ選びなさい。

　人間は"私"の身体は周囲の自然から独立したものだ、と思っている。"私"の皮膚から外の世界は他者だ、と思っている。しかし、これは人間の個体意識が作りだした大きな錯覚だった。

　人間の身体は、もともとすべての自然、すべての生命とつながったものだ。"私"はもともと"我々"だったのだ。科学技術を進歩させる過程で人間はそのことを忘れかけていた。しかし、宇宙飛行士たちは、科学技術の進歩の最先端で、逆に①そのことを思い出し始めている。

(龍村仁『地球のささやき』角川学芸出版)

問い　①そのことは何を指しているか。

1　私の身体は周囲の自然から独立しているということ
2　科学技術の進歩の過程で人間が身体を忘れてしまったということ
3　科学技術の進歩の最先端にいるのだということ
4　私の身体は地球環境とつながっているのだということ

ステップ1　本文を読んで全体をつかもう

キーワード：人間、"私"、身体、自然、"我々"、科学技術

「対比」に注目する

・一般的な考え：「"私"の身体は…自然から<u>独立</u>したもの」＝「"私"の皮膚から外…は他者」

・筆者の考え：　「人間の身体は…自然…生命とつながったもの」＝「"私"は…"我々"」

　　→テーマは、人間の身体と自然の関係？

ステップ2　問いを見て本文から答えを探そう

1）「指示語」を含む文をよく見る

　「 しかし 」、宇宙飛行士たちは、… 逆に ① そのこと を思い出し始めている。」

2）下線の直前の文から順にさかのぼって「言い換え」を探す

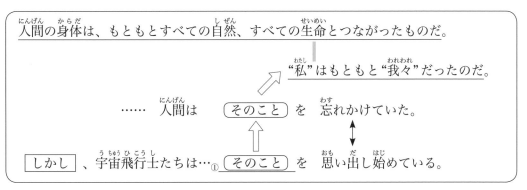

人間の身体は、もともとすべての自然、すべての生命とつながったものだ。

"私"はもともと"我々"だったのだ。

…… 人間は そのこと を 忘れかけていた。

しかし 、宇宙飛行士たちは…① そのこと を 思い出し始めている。

3）2）で探した「言い換え」を「下線部」に入れて確かめる

　しかし、宇宙飛行士たちは、[人間の身体は、もともとすべての自然、すべての生命とつながったものだということ]を思い出し始めている。

ステップ3　選択肢と比べよう

1：独立しているというのは一般的な考えだが、「錯覚」であると書かれている。

2：身体を忘れたとは書かれていない。

3：「最先端で」思い出したと書かれている。最先端にいることを思い出したのではない。

4：正解（地球環境＝「すべての自然、すべての生命」）

- -
・「答え」は、「指示詞」のすぐ前にあるとは限らない。見つかるまで、どんどん「言い換え」を追っていこう。
- -

1）指示語を問う

◆「下線部」が「指示語＋Ｎ（名詞）」の場合は、「Ｎ（名詞）」をキーワードにして「言い換え」を探そう。

◇◇◇

☆ **例題６** 問いに対する答えとして最もよいものを一つ選びなさい。

　近所づきあいが薄れてくると、町内にどんな人が住んでいるかを知ることもできなくなってしまいます。特に、家に引きこもりがちな、災害弱者とよばれる人の情報は欠如することが多く、市町村の防災関係部局(注1)でさえも、災害時に支援の必要な市民について把握しているところは、25％しかありません。個人情報保護法の施行以来、プライバシーに関わる情報の管理はいっそう厳しくなっていて、災害弱者をますます孤立させてしまう傾向にあります。生命にかかわる災害救助には、情報の活用を許されているといいますが、①そのような柔軟な対応は、あまりとられていないのが実情です。

（中田実ほか『町内会のすべてが解る！疑問・難問 100 問 100 答』じゃこめてい出版）

(注1)防災関係部局：役所や役場で、災害を防ぐ仕事を担当している部や課

問い ①そのような柔軟な対応とあるが、その説明として最も適切なものはどれか。

1　災害弱者とよばれる人の情報をいつでも使えるようにすること
2　防災関係部局の救助法に関する情報を自由に使えるようにすること
3　災害救助のために災害弱者の個人情報を活用すること
4　プライバシーに関わる情報を防災に関係なく活用すること

ステップ1　本文を読んで全体をつかもう

キーワード：町内、災害弱者、情報、プライバシー、救助

「災害弱者」＝「災害時に支援の必要な市民」

　→テーマは、町内の災害弱者と、そのプライバシーについての問題？

ステップ2　問いを見て本文から答えを探そう

1）「指示語」を含む文をよく見る

「…といいます　が 、①そのような 柔軟な対応 は、あまりとられていないのが実情です。」

指示語＋「N（名詞）」

2）「柔軟な対応」の「言い換え」を探す

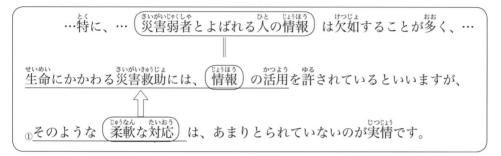

3）2）で探した「言い換え」を「下線部」に入れて確かめる

[生命にかかわる災害救助に、災害弱者とよばれる人の情報を活用するという対応]は、あまりとられていないのが実情です。

ステップ3　選択肢と比べよう

1：「生命にかかわる災害救助には」という条件があり、いつでも使えるのではない。

2：救助法に関する情報ではなく、「災害弱者とよばれる人の情報」である。

3：正解

4：防災に関係なく使えるようにするのではない。

練習18 問いに対する答えとして最もよいものを一つ選びなさい。

　眠ってからしばらくすると、レム (REM) 睡眠というものが始まる。マブタがピクピクする。このレムの間に、頭はその日のうちにあったことを整理している。記憶しておくべきこと、すなわち、倉庫に入れるべきものと、処分してしまってよいもの、忘れるものとの区分けが行なわれる。自然忘却である。

　朝目をさまして、気分爽快であるのは、夜の間に、頭の中がきれいに整理されて、広々としているからである。何かの事情で①それが妨げられると、寝ざめが悪く、頭が重い。

　朝の時間が、思考にとって黄金の時間であるのも、頭の工場の中がよく整頓されて、動きやすくなっているからにほかならない。

（外山滋比古『思考の整理学』筑摩書房）

問い　①それは何を指しているか。

1　その日にあったことをしっかりと記憶しておくこと
2　十分な睡眠をとって、気分爽快に目覚めること
3　頭の中が整頓できるように、よく思考すること
4　記憶すべきことだけ残し、要らないものは忘れること

指示語を問う

▨ 練習19　問いに対する答えとして最もよいものを一つ選びなさい。

　私企業の主導的原理である「自己利益の追求」に衝き動かされて馬車馬のようにさんざん働いた親の世代を見て、今の若者は「彼らは結局のところ幸せだったのか」と問い直し、そうした生き方を考え直そうとしている面が確実にある。「不況の中の豊かさ」とも言える不思議な環境を享受する、ある意味で幸運な時代に生きているからこそ、若者は「何らかの活動を通じて自分なりに何か生きがいを見つけたい」「人とつながることによって喜びや充実感をともに感じたい」「だれかの役に立つことによって自分自身の居場所を見つけたい」という願望を実現できる可能性を感じとっている。①こういう意識が若者を、広い意味のボランタリーな活動(注1)に向かわせているのだ。

　　　　（丸楠恭一、坂田顕一、山下利恵子『若者たちの《政治革命》　組織からネットワークへ』中央公論新社）

(注1) ボランタリーな活動：参加者が金銭的な報酬なしで協力する活動。募金活動や福祉活動のことが多い。

問い　①こういう意識とはどのような意識か。

1　自分の居場所や生きがいが見つけられるかもしれないという意識

2　馬車馬のように働くのではなく、もっと楽に生きたいという意識

3　「不況の中の豊かさ」とも言える幸運な時代を生きているという意識

4　自分の願望が実現できるかどうかを感じとろうとする意識

練習20 問いに対する答えとして最もよいものを一つ選びなさい。

　ポール・セローのある小説の中で、アフリカにやって来たアメリカ人の女の子が、なぜ自分が世界のあちこちをまわりつづけることになったかについて語るシーンがあった。ずっと昔に読んだ本なので、台詞(せりふ)の細かいところまでは正確には覚えていないので、まちがっていたらごめんなさい。でもだいたいこんな内容だったと思う。「本で何かを読む、写真で何かを見る、何かの話を聞く。でも私は自分で実際にそこに行ってみないと納得できないし、落ち着かないのよ。たとえば自分の手でギリシャのアクロポリスの柱を触ってみないわけにはいかないし、自分の足を死海(しかい)の水につけてみないわけにはいかないの」。彼女はアクロポリスの柱を触るためにギリシャに行き、死海の水に足をつけるためにイスラエルに行く。そして彼女はそれをやめることができなくなってしまうのだ。エジプトに行ってピラミッドに上り、インドに行ってガンジスを下り……、そんなことしてても無意味だし、キリないじゃないかとあなたは言うかもしれない。でも様々な表層的理由づけをひとつひとつ取り払ってしまえば、結局のところ①それが旅行というものが持つおそらくはいちばんまっとうな動機であり、存在理由であるだろうと僕は思う。

（村上春樹『辺境・近境』新潮社）

問い　①それは何を指しているか。

1　自由になりたいという欲求

2　旅を続けたいという欲求

3　現実的な感触への欲求

4　無意味な行動への欲求

練習21　問いに対する答えとして最もよいものを一つ選びなさい。

　愛情には、相手を尊重し、相手に不快感を与えたくないといった気持ちが含まれているだろう。けれども、相手を束縛せずにはいられない側面をも持つ。「あなたを愛しているからこそ、あなたにはこのようにしてほしい」「大切なあなただからこそ、こんなことはしないでほしい」といった気持ちが生じてくるのは当然であり、そうでなかったら愛情とは呼べまい。つまり相手に関心があり好意があればあるほど、無意識のうちにその相手をコントロールしたくなる。人の心にはそのような宿命がある。さらに、他人にコントロールされることは押し付け・強制・無理強い・束縛といった具合にマイナスイメージで想像してしまいがちだが、必ずしも不快で窮屈だとは限らない。もしもわたしが本気で陶芸家(注1)にでもなりたいと考え、尊敬する作家のところへ弟子入りした(注2)とする。わたしは師匠に指導を受けることのみならず、あれこれ命じられたり無理難題を言われたり罵声を浴びせられることにすら充実感と喜びを覚えるのではないだろうか。尊敬する師匠にコントロールされることが、ひたすら嬉しく感じられそうに思える。おそらくアスリートとコーチとの関係にも似たところがありそうな気がするし、監督と俳優との間にも①そんな図式が成立することはあるかもしれない。

（春日武彦『精神科医は腹の底で何を考えているか』幻冬舎）

(注1) 陶芸家：茶わんや皿を作る芸術家
(注2) 〜へ弟子入りする：〜を師匠 (指導者) にして、教えてもらう関係になる

問い　①そんな図式とは何か。

1　指導者が弟子をコントロールしたいと考える関係

2　弟子が指導者にコントロールされることに喜びを感じる関係

3　弟子も指導者も無意識に相手をコントロールしてしまう関係

4　弟子と指導者がコントロールし合うことに充実感を覚える関係

2)「だれが」「何を」などを問う

◆「何が___（～する）のか」「___（～する）のは、だれか」「何を___（～する）のか」「何と___（～する）のか」という形で、「主語」や「対象語」などを問う問題である。次の手順で探そう。

・「下線部」を含む文の構造をよく見て、何を探せばいいか（何が省略されているか）はっきりつかむ。

・文をさかのぼって省略されている「主語」や「対象語」などを探す。

◇◇

☆ **例題7** 問いに対する答えとして最もよいものを一つ選びなさい。

　いま、婦人雑誌で女性がいちばん心をときめかせるのは、ファッションでも料理でもなく、インテリアのページだという。日本人も衣食足って、住といういちばんコストのかかる消費財にまで、手を伸ばしはじめたということなのだろうか。食べものなら、胸がむかつくほどにあふれている。タンスの中だってそでも通さない洋服で満杯だ。あと足りないのは、暮らしを入れるハコ——絵に描いたようなマイホームだけである。

　もちろん、(中略)住宅に投資できる人とできない人とは、所得階層によってはっきり分かれてくる。しかし、①インテリアは違う。家具や照明のように固定したものだけでなく、カーテン、カーペット、ルームアクセサリー、そしてプラント(観葉植物)のような可動的な室内装飾品は、ハコよりも安価に、ハコが果たすはずの夢をかなえてくれる。

（上野千鶴子『増補＜私＞探しゲーム』筑摩書房）

問い ①インテリアは違うとあるが、インテリアは何とどう違うのか。次のようにまとめる場合、最も適切なものはどれか。

　　「インテリアは、（　A　）と違って、（　B　）。」

1　A：衣服や食物　　　　B：まだ足りていない

2　A：住宅　　　　　　　B：コストがあまりかからない

3　A：住宅　　　　　　　B：可動性を持つものもある

4　A：ハコ　　　　　　　B：夢をかなえてくれる

ステップ1　本文を読んで全体をつかもう

キーワード：インテリア、住、ハコ、住宅

「言い換え（比喩）」に注目する

「暮らしを入れるハコ」＝「絵に描いたようなマイホーム」＝「住宅」

　→テーマは、住宅とインテリア？

ステップ2　問いを見て本文から答えを探そう

1）「下線部」を含む文の構造を見る

「しかし、インテリアは［A何と、Bどう］違う。」
　　　　　　　　　　　省略部分　　　　省略部分

この文では、［　　　］の部分が省略されている。

2）さかのぼって、省略されている部分を探す

「対比」（住宅とインテリア）に注目。

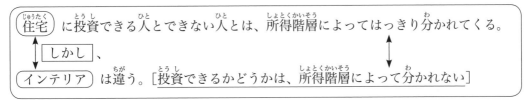

住宅 に投資できる人とできない人とは、所得階層によってはっきり分かれてくる。
しかし、
インテリア は違う。［投資できるかどうかは、所得階層によって分かれない］

つまり、インテリアは

A　何と：「住宅」と

B　どう：投資できるかどうか所得階層によって分かれない点

が違うとわかる。

所得階層によって分かれないというのは、値段が安いということである。

「下線部」の後にある「ハコよりも安価に、ハコが果たすはずの夢をかなえてくれる。」からも確認できる。

ステップ3　選択肢と比べよう

1：衣服や食物と比べているのはインテリアではなく、住宅である。

2：正解（コストがかからない＝安価）

3：インテリアと住宅の違いが可動性にあるとは書かれていない。

4：「ハコ」が夢をかなえてくれない、とは書かれていない。

練習22　問いに対する答えとして最もよいものを一つ選びなさい。

　裁判官の仕事は、争っている者に対してどちらが正しいかを示すということである。しかし、単にどちらかを勝たせればいいというわけではない。示す判断は、客観的な事実関係に基づいていなくてはいけない。争っている本人たちだけでなく、本人以外の第三者も納得する判断が求められる。争っている者たちは主観的な意見や生の要求をぶつけあうかもしれないが、まず冷静に「主観的な意見」と「客観的な事実」とを①区別することから始める必要があるのだ。

問い　①区別することから始めるのはだれか。

1　裁判官

2　争っている者たち

3　判断を求める人

4　本人以外の第三者

練習23　問いに対する答えとして最もよいものを一つ選びなさい。

　「NO!」と言える労働者になるためには、まずは自分たちの働き方のなかに「法律違反」があるかを知り、その救済手段を知ることが第一です。今の50代、60代は会社に守られて生きてきた「知らなくて済んだ世代」ですが、今の若者たちは自分たちで生活を守らなければならない「①知らざるを得ない世代」。働くことで生活が成り立ち、将来が保障され、人生設計ができるということは、前提にはならない時代を生きています。

　　　　（湯浅誠『「NO!」と言えるビジネスマンが社会を変える」AERA Biz 2010.10.10 号　朝日新聞出版）

問い　「①知らざるを得ない世代」とあるが、何を知らざるを得ないのか。

1　自分たちが本当は貧しいのだ、ということ

2　「NO!」と言える労働者になれないのだ、ということ

3　人生設計をするとき、何をすべきか

4　仕事の一部に違法性があったとき、どうすればいいか

練習24 問いに対する答えとして最もよいものを一つ選びなさい。

　中欧を巡る八日間のテレビの仕事をしたとき、気がついたことがいくつかある。その一つは、テレビ関係者が極端なまでに「視聴者の声」を気にすることだ。

　番組のなかに高名な政治評論家が登場して、ハンガリーやチェコがEU（欧州連合）に加わった意味を語る場面があった。場所はウィーンのシェーンブルン宮殿の前庭。かたわらにインタビュアー役のアナウンサーがいて質問するかたち。

　政治評論家はグレーの三つ揃い、胸にハンカチをのぞかせていた。アナウンサーは赤いフードつきの厚手のヤッケ。さっそく非難が殺到した。アナウンサーのいで立ちがだらしないというのだ。①もっときちんとした服装を心がけろ。

　この場合、政治評論家が"ヘン"なのだ。時は厳寒のさなかであって、気温が零下五度。しかも寒風の吹く屋外である。そこへカクテルパーティーのような格好で出てくるのがおかしいのだ。立ちどまっていたウィーン市民たちは、その異様さに目を丸くしていた。むろん、誰もが厚手のヤッケやオーバーを着こんでいた。

（池内紀『世の中にひとこと』NTT出版）

問い ①もっときちんとした服装を心がけろとあるが、これはだれが言った言葉か。

1　筆者

2　視聴者

3　政治評論家

4　アナウンサー

「だれが」「何を」などを問う

■ 練習25　問いに対する答えとして最もよいものを一つ選びなさい。

　人生が思うようにならないとき、私たちは、その責任を押しつけられる対象を探してしまう傾向
があります。親をはじめとする周囲の人間、家庭環境、学校、会社、時代、世の中、運、学歴、容
姿……それらが今の自分の不幸感に関わりがあったとしても、原因の一つにすぎないのに、すべて
であるかのように思いたがるのです。

　自分の能力の限界や内面の問題を認めれば、自尊心が傷つきます。問題を直視し、改善すべく努
力するのはつらい作業ですし、その努力がなかなか実らなければ、さらに傷つく。それを無意識の
うちに避けようとして、自分以外の誰かや今さら自分では変えようのない何かのせいにしてしまう
のでしょう。

　不幸の原因を自分以外に求め、責任を押しつけることと同様に危険なのが、自己憐憫にとらわれ
ることです。「私ってかわいそう」という思いにとらわれると、心のアンテナが内向きになります。
そうして自分の苦悩にばかりアンテナを向けていると、どんどん視野が狭くなり、客観性も失われ
ていく。自分が誰よりも不幸に思えてきて、周囲の人が抱えている痛みには鈍感になり、①人間関
係にも悪影響を及ぼしてしまいかねません。

（加賀乙彦『不幸な国の幸福論』集英社）

[問い]　①人間関係にも悪影響を及ぼしてしまいかねませんとあるが、何をすることが悪影響を及ぼ
してしまいかねないのか。

1　自分の能力の限界や内面の問題を認めること
2　不幸の責任を他人に押しつけること
3　心を閉ざして自分の内面を隠すこと
4　自己憐憫にとらわれること

コラム4　カタカナ言葉に注意

　例題(「だれが」「何を」などを問う→p.40)にはカタカナ言葉がたくさん使われています。

「ファッション」「インテリア」「ページ」「マイホーム」「カーテン」「カーペット」などの外来語だけでは

ありません。例えば「タンス」。これはもともと日本語の言葉ですが、漢字が難しいこと(「箪笥」)、

ひらがなだと文章がわかりにくくなることなどから、よくカタカナで書かれる言葉です。

　では、「ハコ」はどうでしょう。箱を「ハコ」と表記することは一般的ではありませんから、ここに

は筆者の意図があるはずです。

　普通、「箱」は「紙や木などで作られた容器」を指します。しかし、この文章では「ハコ」と表記する

ことで、「箱」の持つ具体性(＝どんな素材で、どんな大きさで…)を消し、「何かを入れる物」という

抽象的な面を強調しているのです。筆者は、住宅を「暮らしを入れる物」と捉え、住宅の比喩として

「ハコ」を使っています。

　このように、普段、ひらがなや漢字で書かれる言葉がカタカナになっていたら、筆者の特別な意図

が込められていることが多いので、注意して読みましょう。

3) 下線部の意味を問う

◆「＿＿＿＿＿とは、どういうことか」「＿＿＿＿＿とはどういう意味か」「＿＿＿＿＿が意味していることは何か」といった問題である。次の手順で考えていこう。

・「下線部」を含む文をよく見る。
・その文の前後を見て、「下線部」の「言い換え」を探す。
・「下線部」に指示語があれば、「指示語が何を指しているか」必ず見る。

→１）指示語を問う　p.32, 34

☆ 例題8　問いに対する答えとして最もよいものを一つ選びなさい。

　身近なもの、基本的なものほど語源がたどれない。木の名前で考えてみよう——

　　　マツ　松

　　　スギ　杉

　　　クス　楠　（中略）

マツをなぜマツと呼んだのか。それぞれ日本語としての音の由来には説明がないのだ。いつも寝ているから「寝る子」からネコになった、という類の民間語源説があるけれど、猫の属性は寝るだけではない。他を排してその点にばかり注目した理由は何か。

　基本語彙の語源は本当は問うてはいけないのかもしれない。地面の高いところがヤマと呼ばれ、常に水が流れるところがカワと呼ばれることの理由を聞いてはいけない。日本語の起源に遡って、例えばタミル語であるなどと説を立てても、それで語源が明らかになるわけではない。①問いはただそちらへ持ち越されるだけだ。

（池澤夏樹『風神帖』みすず書房）

問い　①問いはただそちらへ持ち越されるとはどういうことか。

1　タミル語での語源は何かについて、新たに考えることになる。

2　語源は何かについて、この文章の読者が新たに考えることになる。

3　日本語の起源は本当にタミル語なのかという問題を考えることになる。

4　日本語の起源に遡れば語源がわかるのかという問題を考えることになる。

ステップ1　本文を読んで全体をつかもう

キーワード：身近、語源、基本語彙、理由、説

「疑問提示文」に注目する

「マツをなぜマツと呼んだのか。」「他を排して…理由は何か。」

　→テーマは、身近な語彙の語源？　その語をそう呼ぶ理由？

ステップ2　問いを見て本文から答えを探そう

1）「下線部」を含む文をよく見る

　「①問いはただそちらへ持ち越されるだけだ。」

　　　　　　　　　　持ち越す＝解決できないまま、次に送る

　「問い」とは、どんな問いか。「そちら」とはどこか。

2）「問い」と「そちら」が何を指すか、さかのぼって探す

> 基本語彙の語源は本当は問うてはいけないのかもしれない。
> ‖
> 地面の高いところがヤマと呼ばれ…の理由を聞いてはいけない。
> 　　　日本語の起源に遡って、例えばタミル語であるなどと説を立てても…
> ‖
> ①問いは、　…　そちら（＝タミル語の側）へ持ち越されるだけだ。
> 　　　　　　　　　　　（　こちら　＝日本語の側　）

「問い」＝基本語彙の語源は何か　　　「そちら」＝タミル語の側

つまり「ある日本語の言葉の語源をタミル語だと決めたとしても、今度はタミル語で同じ問い（＝その語源は何か）を考えることになる」だけで答えは出ない、ということ。

ステップ3　選択肢と比べよう

1：正解

2：読者が「問い」を考えるとは書かれていない。

3：「問い」の指す内容は、日本語の起源がタミル語かどうか、ではない。

4：「問い」の指す内容は、日本語の起源に遡れば語源がわかるか、ではない。

練習26　問いに対する答えとして最もよいものを一つ選びなさい。

　最近私が腹が立ったのは、小中学校の国語の教科書に対してだ。中学校の教科書から漱石・鷗外(注1)が消えたのはニュースになった。しかし、それ以前から小中の国語の教科書は質量ともに薄かった。驚くほど幼稚な文章ばかりだ。世界の文学や批評は皆無に近く、グローバル化に逆行している。

　これでは、硬くて栄養のある言葉から栄養を吸収するだけの強いアゴと腸が鍛えられない。ファーストフードのような柔らかいものばかりでアゴが弱くなってきているが、言葉を嚙み締めるアゴの力も弱められている。国語教科書が①ハンバーガーになってしまっているのだ。

　文章はすべての意味がわからなくてもいい。幼児にモーツァルトを聴かせるように、子どもに総ルビ(注2)で最高の日本語をはじめから与えるべきだ。暗誦(注3)や素読(注4)の文化が培った感性は、生涯にわたって生きる。「満足できるわからなさ」には味がある。

（齋藤孝「「するめ」をかみしめよう」『ああ、腹立つ』新潮社）

(注1) 漱石・鷗外：夏目漱石、森鷗外。明治・大正期に活躍した日本を代表する小説家
(注2) 総ルビ：漢字全部にふりがなをつけること
(注3) 暗誦：文章を記憶して、それを口に出して言うこと
(注4) 素読：文章の意味を考えずに、声を出して文字だけを読むこと

問い　①ハンバーガーになってしまっているとはどういう意味か。

1　アメリカ文化の強い影響を受けて、日本の古典文学を載せなくなっている。

2　子どもが書いた文章ばかり載せるので、読んでも全く勉強にならない。

3　世界の文学や批評を載せなくなっていて、グローバル化に逆行している。

4　わかりやすい文章ばかり載せるので、読む力をつけられなくなっている。

下線部の意味を問う

練習27 問いに対する答えとして最もよいものを一つ選びなさい。

　いまの日本社会では、万一事故が起こったときに、管理者が徹底的に責められる風潮があります。その意味では、安全対策が「危険の管理」ではなく「危険の排除」の方向にいってしまうのは自然の流れかもしれません。

　本当に管理がいい加減である場合は責められても仕方がないと思いますが、被害者自身が禁止行為や予想外の行動をしていたり、原因が想定外ないし未知の問題であったりするときなどは①違います。こういうケースでは、設計者や管理者が失敗の経験を生かし、危険を制御する方向で安全対策を見直すことが社会の利益にもなります。

（畑村洋太郎『危険不可視社会』講談社）

問い　①違いますとはどういう意味か。

1　管理者を責めてはいけない

2　被害者を責めてはいけない

3　危険を排除できない

4　危険を管理できない

下線部の意味を問う

練習28　問いに対する答えとして最もよいものを一つ選びなさい。

　どんなささいなことがらについてでも、それを愛し、そのことについて調べたり、試したりしている一群の人々が必ずいる。そのような人々は通常、地球上の各地に散在してそれぞれ日々の暮らしを送ってはいるのだが、やはりそのことについてのこまごました情報やささやかな発見を、ときに交換したりひかえめに自慢したくなるものである。そこで人々は、ウェブが発達するずっと以前から、様々な方法によってお互いの存在を知り、定期的に集うことを約束しあった。人々は、そのことが好きで、ずっと好きであり続け、そして①小さな縦穴を深く掘り続けている、という点だけを共有している。

（福岡伸一『世界は分けてもわからない』講談社）

問い　①小さな縦穴を深く掘り続けているとはどのような意味か。

1　広い世界の中にほんの少しだけいる仲間をさまざまな方法で探し続けている。

2　自分が愛しているささいなことがらについて、詳しく調べ続けている。

3　同じ物が好きな人々だけの狭い世界で、持っている情報を交換し続けている。

4　地下に埋まっている古い物を探すために、小さな穴をずっと掘り続けている。

練習29　問いに対する答えとして最もよいものを一つ選びなさい。

　以前、「○×モードの言語中枢」と題した文章を書いたことがある。日本人が欧米人に較べて、情報を非論理的に羅列する傾向が強いこと。同時通訳をしていると、スピーカーの①脳のモード差がモロに体感できること。それは、学校教育において、欧米では口頭試問と論文という能動的な知識の試し方を多用するのに対して、日本では○×式と選択式という受け身の知識の試し方が圧倒的に多いせいではないか、という愚見(注1)を披露した。(中略)

　先ほど、同時通訳をしていると、スピーカーの脳のモード差がモロに体感できると述べたが、それは切実極まる問題だからだ。通訳者は、スピーカーの発言を訳し終えるまでは記憶していなければならない。ところが、論理的な文章はかなり嵩張った(注2)としてもスルスルと容易に覚えられるのに、羅列的な文章には記憶力が拒絶反応を起こすのだ。

　要するに、論理性は、記憶の負担を軽減する役割を果たしているわけで、文字依存度が高い日本人に較べて、それが低い西欧人の言語中枢の方が論理的にならざるを得ないのではないだろうか。

（米原万里『心臓に毛が生えている理由』角川学芸出版）

(注1)愚見：自分の意見(謙譲語として使われる)

(注2)嵩張った：量が多い

問い　①脳のモード差とは何を指すか。

1　欧米では能動的な知識を試すのに対し、日本では受け身の知識を試すという差

2　欧米人は論理的に話すのに対し、日本人は情報を非論理的に羅列するという差

3　論理的な文章は長くても覚えやすいのに対し、羅列的な文章は覚えにくいという差

4　通訳者は発言を記憶する必要があるのに対し、スピーカーにはその必要がないという差

下線部の意味を問う

練習30　問いに対する答えとして最もよいものを一つ選びなさい。

　学生時代に末弘（厳太郎）先生から民法の講義をきいたとき「時効(注1)」という制度について次のように説明されたのを覚えています。金を借りて催促されないのをいいことにして、ネコババ(注2)をきめこむ不心得者がトクをして、気の弱い善人の貸し手が結局損をするという結果になるのはずいぶん不人情な話のように思われるけれども、この規定の根拠には、権利の上に長くねむっている者は民法の保護に値しないという趣旨も含まれている、というお話だったのです。この説明に私はなるほどと思うと同時に「①権利の上にねむる者」という言葉が妙に強く印象に残りました。いま考えてみると、請求する行為によって時効を中断しない限り、たんに自分は債権者であるという位置に安住していると、ついには債権(注3)を喪失するというロジックのなかには、一民法の法理にとどまらないきわめて重大な意味がひそんでいるように思われます。

(丸山真男『日本の思想』岩波書店)

(注1) 時効：一定の期間が過ぎたために、権利を失うこと

(注2) ネコババ：拾った物などをそのまま自分の物にしてしまうこと

(注3) 債権：貸したお金や財産を返してもらう権利

問い ①権利の上にねむる者とはだれか。

1　催促されなければ、そのまま返さない借り手

2　ネコババをきめこむ不心得者

3　時効という制度を知らない債権者

4　金を返すように催促することを怠る貸し手

下線部の意味を問う

練習31　問いに対する答えとして最もよいものを一つ選びなさい。

　音声言語の発達によって、人間の社会はゆるぎない(注1)ものとなったといった。しかしこれは、人間の社会をゆるぎないものにするために、音声言語が発達したという意味ではない。社会は結果であり、目的ではなかった。

　一般に動物の構造や機能は、まことによく環境に適応しているとおもわれる点もあるが、逆に、どうしてこんな変なことになっているのだろうかと、ふしぎにおもわれる点もたくさんある。動物というものは、目的論的にすべて説明できるわけではない。人間についてもおなじことがいえる。それはただ、ながい進化の歴史的結果であるというだけのことである。はるかな過去からの遺産をうけついで、そのうえに多少の変化をかさねつつ、現在が存在するのである。

　感覚器官、脳神経系(注2)の発達にしても、①おなじかんがえかたができるであろう。これはなんらかの目的があってのことではない。人間は、かしこくなりたいと努力したために、脳がおおきくなったのではない。脳がおおきくなったために、かしこくなったのである。なにが原因で脳がおおきくなったのか。その点については確定的なことはいえない。

（梅棹忠夫『情報の文明学』中央公論新社）

(注1)ゆるぎない：安定している

(注2)脳神経系：情報を頭（脳）に伝えたり、脳から体に伝えたりする神経の系統

問い　①おなじかんがえかたができるの意味として、最も適切なものはどれか。

1　なんらかの目的に到達しようとした結果であると考えられる。

2　環境への適応を目的として発達してきたのだと考えられる。

3　現在のようになろうと目指して進化してきたわけではないと考えられる。

4　現在のような形になるまでには、長い時間が必要だったと考えられる。

4) 理由を問う

◆「＿＿と言えるのはなぜか」「どうして＿＿か」など、理由を問う問題である。次の手順で考えよう。
- 「下線部」を含む文をよく見る。
- 前後の文から「理由を示す」表現を探す。

◇◇

☆ 例題9　問いに対する答えとして最もよいものを一つ選びなさい。

　水中では、体重が10分の1ほどになる。水泳がほかのスポーツと決定的に異なっているのは、体の特定部位、たとえばひざなどに体重が集中しないことである。かつ運動量を自在に加減できるという点も大きなメリット(注1)で、その気になれば短時間でエネルギーを消費することも簡単にできてしまう。

　もう一つ、意外な効果がある。水中では体温を保つために体内のエネルギーを燃焼させる仕組みが自然に働くことから、知らずに大量のエネルギーを消費していることになる。つまり①何もしなくとも水中ではカロリーを消費するのである。

（岡田正彦『人はなぜ太るのか―肥満を科学する』岩波書店）

(注1) メリット：いい点、長所

問い　①何もしなくとも水中ではカロリーを消費するのであるとあるが、それはなぜか。

1　水中で体温を保つためのエネルギーが消費されているから。

2　水中では体内のエネルギーを効率的に使う仕組みが働くから。

3　水中では運動量も消費エネルギーも自在に加減できるから。

4　水中では体重が軽く、体の特定部位に体重が集中しないから。

ステップ1　本文を読んで全体をつかもう

キーワード：水中、スポーツ、メリット、エネルギー、効果、消費

第2段落のはじめ：「もう一つ、意外な効果がある」

第1段落と第2段落は、それぞれ違う効果について述べている？

　→テーマは、水中でのスポーツの効果？

ステップ2　問いを見て本文から答えを探そう

1）「下線部」を含む文をよく見る

　　　つまり　①何もしなくとも水中ではカロリーを消費するのである。

　　言い換え

2）さかのぼって「言い換え」を見る

「理由を示す表現」に注目して、「下線部」の理由を探す。

> 　　　　　　　　　　　　　　　　　　　　　　　　　　　　理由
>
> 水中では体温を保つために…エネルギーを燃焼させる仕組みが自然に働く　ことから　、
>
> 　　　　　　　知らずに大量のエネルギーを消費していることになる。
>
> 　　　　　　　　　　　　　　　‖
>
> 　　　つまり　①何もしなくとも水中ではカロリーを消費するのである。

「水中では体温を保つために…エネルギーを燃焼させる仕組みが自然に働く」が「下線部」の理由である。

ステップ3　選択肢と比べよう

1：正解

2：効率的に使う仕組みについては書かれていない。

3：消費エネルギーを自在に加減できることは、「何もしなくとも…カロリーを消費する」こととは別のメリットである。

4：特定部位に体重が集中しないことは水中での運動のメリットではあるが、「カロリーを消費する」理由ではない。

4) 理由を問う

◆理由を問う問題で、「下線部」に直接つながる「理由を示す表現」が見つからないこともある。
その場合は、「下線部」の言葉の「言い換え」や「対比」になる言葉に注目して、文章の流れから理由を探そう。

◇◇

☆ **例題10** 問いに対する答えとして最もよいものを一つ選びなさい。

　動物進化には「進化の二大車輪」と言われるものがあります。一つは有名な「自然選択」。環境の変化にうまく適応した動物だけが生き残るというものです。もうひとつが、あまり知られていませんが「性選択」。なぜ孔雀の羽根は美しくなったのかというと、環境に適応したからではなく、メスが美しい羽根を持ったオスを選び、そういうオスの子を生み続けたからです。人間もこれとよく似ていて「文化進化の性選択」がなされます。

　女の子がどういう男の子を好むかによって、実は男の子の生き方が大きく方向づけられ、それが将来的には一国の文化を形成することになります。女の子たちが昔から生きてきた、そして最近になって男の子に対しても強く望むようになった「コミュニケーション志向」は、戦いによる上昇や支配をめざす「コントロール志向」と違って、殺人や傷害に結びつかず、その意味で成熟社会にふさわしいものです。①女の子の役割はものすごく大きいのです。

（宮台真司「意味なき世界をどう生きるか？」『人生の教科書 [よのなか]』筑摩書房）

問い ①女の子の役割はものすごく大きいのはなぜか。

1　女の子は環境に適応することが上手で、どんな変化にも適応できるから。

2　女の子がどういう男の子を好むかが、国の文化を方向づけることになるから。

3　最近の女の子が成熟社会にふさわしい志向を持つようになったから。

4　男の子より女の子のほうがコミュニケーション能力が高く、現代社会に適しているから。

ステップ1　本文を読んで全体をつかもう

キーワード：進化、メス、オス、「文化進化の性選択」、女の子、男の子

「対比」に注目する

・動物の進化：「進化の二大車輪」＝①自然選択

②性選択（＝メスがオスを選ぶことで進化）

・人間：「文化進化の性選択」

→　テーマは、進化と性の関係？

ステップ2　問いを見て本文から答えを探そう

「女の子の役割」が「大きい」理由を探す

「理由を示す表現」がないので、言い換えなどに注目して文章を追っていく。

> 女の子がどういう男の子を好むかによって、（＝女の子の役割）
>
> 実は男の子の生き方が大きく方向づけられ、
>
> ‖
>
> それが将来的には一国の文化を形成することになります。（＝大きい結果）

つまり、女の子の役割が大きいのは、それが国の文化を形成することになるからである。

ステップ3　選択肢と比べよう

1：女の子は環境に適応するのが上手だとは書かれていない。

2：正解

3：成熟社会にふさわしい「コミュニケーション志向」は、女の子の昔からの志向である。

4：コミュニケーション能力に男女差があるからではない。

練習32 問いに対する答えとして最もよいものを一つ選びなさい。

　故寺田寅彦氏の有名な指摘に「①学者は馬鹿でなければならない」というのがある。頭が良い人は何か新しい研究を始めようと思っても、その前途にある困難さや障害や行き詰まりが見えてしまう。そこで成果が挙がるはずがない研究などは、やる気になれない。しかし、手前からはどう見ても行き詰まりになっているはずの道でも、そこまで行くとふいと右へ行く道がついているのを発見したりするように、どんな賢い人間でもやって見ないとわからぬところが多いものだ。

（会田雄次『日本人材論　指導者の条件』講談社）

問い　①学者は馬鹿でなければならないのはなぜか。

1　頭が良い人は、いつも研究のことしか考えていないから。

2　頭が良い人は、困難や障害を克服することができないから。

3　頭が良い人の予測力は、新しい研究をする上で妨げとなるから。

4　頭が良い人の研究方法では、どうしても行き詰まってしまうから。

理由を問う

練習33 問いに対する答えとして最もよいものを一つ選びなさい。

　疲労には二つの顔がある。悪玉疲労と善玉疲労である。疲れてくると作業能力は低下し、気持ちはいら立ってくる。疲れがたまれば食欲不振や睡眠不足になり、ひいては病的状態に陥ることがある。これが疲労の悪玉たる所以(注1)である。

　今日の省力化や機械化の作業環境は、悪玉疲労から逃れる方策として生まれてきたものといえる。ところが高度に機械化された社会では、人間は単純で動きのない作業に従事し、精神的な緊張だけが求められる労働条件におかれている。そのために精神的な疲労が主役としてスポットライトをあびるようになってきた。筋肉労働が中心であったころには筋肉の疲労が主役であったが、今日では①精神の疲労に主役が交代したのである。疲労は、いつの時代にも姿や型をかえて登場してくるのである。

（矢部京之助『疲労と体力の科学　健康づくりのための上手な疲れ方』講談社）

(注1)所以：わけ、理由

[問い] ①精神の疲労に主役が交代したのはなぜか。

1　今日では人間は善玉疲労より悪玉疲労のほうを多く経験するから。

2　省力化や機械化を進めた結果、人間は悪玉疲労から逃れられたから。

3　機械化により、単純で動きの少ない作業が中心になって筋肉の疲労が減ったから。

4　かつて中心であった筋肉疲労に加えて、今日では精神的な疲労が加わってきたから。

植物細胞は細胞壁で囲まれている、①このことの意味は大きい。

動物細胞の外壁は、弱くて薄い原形質膜である。

たとえて言うならば、植物細胞は紙パック入りの牛乳のように、容器が堅い。動物細胞は、ビニール袋入りの牛乳のように容器がやわらかい。

紙パック入り牛乳は堅いのでいくつも積みあげてしっかりした壁を作ることも可能だ。だが、ビニール袋入り牛乳を積みあげることはできないであろう。

だから、多くの動物は体の中に骨を持ち、骨格というものを有するのである。骨格で体の基本形を作り、そこにやわらかい肉をつけて、体が成り立っている。（中略）

言いかえれば、植物には骨がないのに、どうしてあんなに大きく（ものによっては数十メートルの高さにまでなる）なって体がつぶれないかというと、細胞が細胞壁で囲まれているからなのである。

（清水義範『もっとおもしろくても理科』講談社）

問い　①このことの意味は大きいとあるが、なぜか。

1　植物細胞のおかげで、細胞壁が生まれたから。

2　細胞壁のおかげで、植物は大きく成長できるから。

3　細胞壁によって、堅い細胞がやわらかくなるから。

4　細胞壁があることによって、動物は骨を持つようになったから。

練習35　問いに対する答えとして最もよいものを一つ選びなさい。

　金沢の兼六園で①白鳥におどろかされたのは十年以上前のことである。

　友人と三人で能登半島めぐりをやり、金沢にも立ち寄った。

　このときのことは、ほかにも書いたが、兼六園の池のほとりでお弁当を食べているときに、大きな白鳥が泳ぎながら、上陸して、ガガ、ググと、品の悪い声を上げて、餌をよこせと催促する。

　知らん顔をして食べていると、嘴で私たちの膝小僧を突つく。

　痛いしうるさいので、食べかけをほうってやると、飛びつくようにして食べる。

　エビの尻っぽ。お多福豆の皮。投げてやって食べないものはひとつもなかった。

　その食べかたの品のないことといったらない。そう思ってみるせいか、顔つきにも品というものがない。目つきも鋭い。何よりびっくりしたことは、上半身は、たしかに美しくバレリーナの如く優雅なのだが、下半身は労働者もかくやというほど、妙にたくましいことである。

　食べ終ってもキョロキョロとあたりを見廻し、二、三度、私たちの膝小僧を突つき、もう無いと見るや、池にもどっていった。

　スーと音もなく水面を滑ってゆく姿は、まぎれもなく美しい白鳥で、私はその二重人格（？）に感心して眺めていた。

（向田邦子『女の人差し指』文藝春秋）

問い 筆者が①白鳥におどろかされたのはなぜか。

1　一見すると優雅なのに、下半身はたくましく、行動にも品がなかったから。

2　労働者のような下半身をしているのに、音もなく泳ぐことができたから。

3　水鳥なのに、人間の食べ物を欲しがって、わざわざ上陸してきたから。

4　こちらが知らん顔をしているのに、乱暴にしつこく餌をねだったから。

◆本文の内容に合う「例」を選択肢から選ぶ問題である。答えは本文には書かれていない。次の手順で考えよう。

- 本文から筆者の論を読み取る。「下線部」の意味をつかむことが大切。

→3）下線部の意味を問う　p.46

- 本文中の「例」からも「下線部」の意味をつかむ。
- 選択肢が、読み取った内容の「例」として適切かどうか見る。

☆ **例題11**　問いに対する答えとして最もよいものを一つ選びなさい。

　ある2歳の女の子が、道路で風に舞う花びらを見て、「うわあ、お花がダンスしている！」と嬉しそうにはしゃいでいた。ほほえましい風景だが、2歳児になると、このように、無生物をあたかも生きているかのようにたとえて言うことができるようになる。これを「①象徴機能」すなわち、「イメージを使う力」と呼ぶ。私たちが、マッチ箱を車に見立てて「ぶーぶー」と子どもの目の前に走らせるとき、「車」という心のなかのイメージがマッチ箱に投げかけられているのであり、そこから「見立て」遊びが可能になる。

　子どもは2歳台になると、認知機能の成熟と母親への愛着に支えられ、こうした「心的イメージ」を育むことができるようになる。そして、心の世界が生まれ、小さな男の子や女の子にすぎない子どもが、心のなかではスーパーマンになったり、お姫様になったりすることができるようになるのである。この象徴機能が使えるようになると、子どもの心の世界はぐんと豊かになり、広がりを見せるようになる。すなわち、この時期の子どもは、心のイメージの世界を豊かにすることを通して、自らの人格の土台を築き上げるのである。

（浅川千尋、千原雅代、石飛和彦『家族とこころ——ジェンダーの視点から』世界思想社）

問い　子どもが①象徴機能を使っている例として、最も適切なものはどれか。

1　1から10まで数を数える。

2　花を見て、「きれいだ」と言う。

3　ボールを使って公園でサッカーをする。

4　お母さんになって、人形の世話をする。

ステップ1　本文を読んで全体をつかもう
キーワード：2歳、象徴機能、子ども、イメージ、心
　→テーマは、子どもの心の発達？

ステップ2　問いを見て本文から答えを探そう

1）「①象徴機能」の意味をつかむ。「言い換え」に注目する

> …無生物をあたかも生きているかのようにたとえて言うことができるようになる。
> ‖
> これを「①象徴機能」すなわち、「イメージを使う力」と呼ぶ。

2）本文中にある象徴機能を使っている例を見て、その意味をさらにはっきりさせる

　例：　　　〔事実〕　　　　　　〔子どもの心的イメージ〕

　　　風に舞う花びら　　→　　「お花がダンスしている」＝人

　　　マッチ箱　　　　　→　　車

　　　自分(男の子)　　　→　　スーパーマン

　　　自分(女の子)　　　→　　お姫様

　これらの例から、「象徴機能」は、無生物か生物かにかかわらずある物を、全く別の物にイメージする力だとわかる。

ステップ3　選択肢と比べよう

1：数という概念を、別の物にイメージしているわけではない。

2：「きれいだ」という発言は、花を別の物にイメージした発言ではない。

3：サッカーをするだけでは、何かを別の物にイメージしているかどうかわからない。

4：正解(自分をお母さんに、人形を子どもにイメージしている)

練習36　問いに対する答えとして最もよいものを一つ選びなさい。

　機会の平等については、二つの原則があります。一つは「全員参加の原則」です。たとえば、人が教育を受けたい、就職したい、昇進したいと希望した時に、望む人は全員参加できる、すなわち候補者となる機会が与えられるべきだという考え方です。もう一つは「非差別の原則」です。たとえば、人が何らかの職に就きたいと考えたとき、そこには選抜があります。この選抜を行う時に差別をしてはならないという考え方です。男性か女性か、若いか年寄りかといった個人の資質によって、差別されることがあってはならないということです。

　この二つの原則が満たされていれば、その社会は多くの人に①機会の平等性が与えられていると言えるでしょう。しかし現実には、そのような二つの原則が達成されていない場合が少なくありません。

（橘木俊詔『格差社会　何が問題なのか』岩波書店）

問い　①機会の平等性が与えられていない例はどれか。

1　この会社では、営業成績が良ければ、課長に昇進することができる。

2　親の所得が低くても、この大学の入学試験を受けることができる。

3　入学試験の成績が80点以上なら、この学校に入ることができる。

4　日本国籍を持っていれば、この会社の就職試験を受けることができる。

練習37　問いに対する答えとして最もよいものを一つ選びなさい。

　人間は、言葉を話す唯一の動物である。人間とは言語的動物であるというのが、私の定義である。人間は、言葉を手に入れた瞬間に、嘘をつくことを覚えた。言葉の機能とは、ある意味で、①嘘をつくことにあると言ってもいい。実際には存在しない物も、その名を言えば、それは存在する物として通用することになる。「水をください」と言うために、実際の水は必要ないのである。

　小説や物語などは、言葉のこの嘘をつく機能を、自覚的に使用するもので、実際にはありもしない話も、うまく語れば、まるで本当であるかのように人には読まれる。いわゆる「文学的真実」とはこのことで、嘘によってこそ真実は語られるというわけだ。

　作家でなくとも、我々が日常普通に話をするということは、自覚的にせよ無自覚的にせよ、絶え間なく嘘をついているということなのである。実際にはそうではないことを、そうであるかのように語ってみたり、本当はそうとは思っていないことを、本当にそう思っているかのように語ってみたり、人が語るとは、まさしくそういうことではないか。「語る」とは「騙る」(注1)に他ならないのである。(以下・略)

(池田晶子『私とは何か　さて死んだのは誰なのか』講談社に所収「嘘つきって何？」より部分)

(注1)騙る：人をだます

問い　ここでの①嘘をつくことの例として適切なものはどれか。

1　犬を見ながらその犬について話すこと
2　自分が飼いたい犬についてだれかに説明すること
3　育てている犬に名前をつけて呼ぶこと
4　物語に出てくる犬の名前をノートに書き写すこと

練習38 問いに対する答えとして最もよいものを一つ選びなさい。

　世の中には、頭だけを使って、すごいことのできる達人(注1)もいる。とりわけ目をみはるのは、ソロバンの暗算と、将棋や囲碁の盤面(注2)の再現ではないだろうか。ソロバンの全国レベルの達人は、15，16ケタくらいの暗算を平然とやってのける(注3)。将棋のプロは、1つの勝負を丸々覚えていて、「もし、ここでこう打っていたら、こうなったはず」などという解説を盛り込みながら、テレビで話をしている。

　しかし、こういう人たちも、ソロバンとか将棋というような、実際のモノを操作することを通じて、それが心の中のイメージの操作として行われるようになったのである。初心者がいきなりイメージだけを操作しようとしても、できるものではない。達人の今の姿だけを見て真似をしてはいけないのだ。数学の得意な人が簡単な問題なら図も式も書かずに、いきなり答えを出したり、文章を書くのに慣れた人が、素案も下書きもなしにスラスラと名文が書けるのも、はじめからそういうやり方だったわけではないことに注意しよう。

　知覚や運動がイメージとして心の中で行われるようになることを、心理学では「内化」という。内化は、普通の人にも起きている現象である。たとえば、言葉の使用がそうである。幼児のころは、口に出さずに頭の中だけで考えたり、本を黙読したりすることはしにくい。小学校にはいるくらいの年齢から、しだいに楽にできるようになる。内化された活動は、より速くスムーズになる。

　一方、心の中で行っている思考活動を、文字、記号、図などの形で外に出すことが「①外化」である。外化は、人間の記憶の負担を減らし、内容を吟味したり、気づかなかったことを発見したりするのを助ける。ぼくが強調したいのは、ある仕事にそうとう慣れた人でも、その人にとってむずかしい問題を考えるときには、外化という方法を積極的に使うということである。

（市川伸一『勉強法が変わる本』岩波書店）

（注1）達人：学問や技術などに非常に優れた人
（注2）盤面：将棋や碁、チェスなどのゲームにおける駒や石の配置
（注3）やってのける：やりとげる

問い　ここでの①外化の例として適切なものはどれか。
1　地球からある星までの距離を計算するとき、コンピューターを使って数値を出す。
2　箸を使って、上手にご飯が食べられるように、箸の持ち方を練習する。
3　長い文章を読むとき、大事な部分に線を引き、段落ごとに内容をメモして読む。
4　スキーをするとき、理想的なフォームを頭の中でイメージしながら、滑る。

実力養成編
第2部　広告・お知らせ・説明書きなど

第2部では、生活や仕事の中でよく見る文章(ビジネスレター、メール、広告、お知らせ、説明書き、表・リストなど)を読みます。これらの文章は、最初から最後まで全部理解する必要はないので、わからない言葉や表現は飛ばして読んでください。ここでは問いの種類を二つに分類し、それによって文章の読み方を変えて正解を導きます。

　「問い」を読んで、どちらの種類の問いか、判断する。

　1．タイトルを選ぶ、目的を問う　→全体をつかむ―全体的な内容を尋ねる問い

　2．「いつ」「どうやって」などを問う　→情報を探し出す―部分的な内容を尋ねる問い

1．全体をつかむ－全体的な内容を尋ねる問い

　　ビジネスレター、メール、貼り紙などの内容、目的を読み取る。

ステップ1　問いを読もう

　　タイトルを選ぶ　文章の目的を問うなど

ステップ2　どのような文章か知ろう

　　◇全体にざっと目を通す

　　何の文章か？　ビジネスレター、メール、貼り紙、お知らせなど

　　◇一般的な形式についての知識を使う。

　　手紙やメールなどには一般的な形式がある。その形式を知っていれば、文章の目的やいちばん

　　伝えたいことがどこにあるかすぐにわかる。

ステップ3　選択肢と比べよう

　　読み取った情報と選択肢を比べ、正解を探す。

２．情報を探し出すー部分的な内容を尋ねる問い

広告、お知らせ、説明書き、表・リストから必要な情報を探す。

ステップ１　問いと選択肢を読もう

問いと選択肢からどのような情報を探すべきか見る。

例：いくら？　いつ？　何が必要？　など

ステップ２　どこに情報があるか探そう

◇問いと選択肢にある言葉をキーワードとして答えを探す。

例：いくら？　→　本文中から数字、「〜円」、「￥」などを探す。

電話する？　→　本文中から「電話」「おかけください」などを探す。

◇広告か、お知らせか、説明書きかなど、文章の種類をつかんだ上で、自分の知識を活用する。

例：安売りの広告なら、何がいくら安くなるか、いつからいつまで安いかなどの情報が書いて

あるはずである。その知識を使って、わからない言葉や数字の意味を推測する。

◇目立つ部分に注目する。

◇タイトル

◇項目／見出し

◇大きい字、太い字、小さい字

◇下線

◇矢印、番号

◇枠、囲み

ステップ３　正しい答えを選ぼう

読み取った情報から正解を探す。

１、２ともに、例題の後に語彙リストをつけた。

重要語彙：例題の本文及び選択肢の中にある語彙のうち、問いを解く上で重要な語彙

関連語彙：同じようなテーマの問題を解く上で覚えておいたほうがいい語彙

練習の語彙：練習で使われている重要語彙

・省略語など意味がわかりにくいものには、（　　　）内に説明を加えた。

☆ 例題12　問いに対する答えとして最もよいものを一つ選びなさい。

2012年3月1日

各位

拝啓　早春の候、ますますご清栄のこととお慶び申し上げます。平素は格別のお引き立てを賜り、誠に有り難うございます。

　さて、これまで弊社は交通の不便なところにあり、皆さまには大変ご不便をおかけしておりましたが、この度新原田駅北口から徒歩1分のところに事務所を移転することになりました。4月1日より新事務所での営業を開始いたします。以前より広くなり、お客様との打ち合わせスペースも十分にとれるようになりました。

　これもひとえに皆さまのご愛顧の賜物と感謝しております。今後も皆さまに満足していただけますよう、さらに多様化するITニーズに迅速かつ柔軟に対応していく所存でございます。

　何とぞさらなるお引き立てを賜りますようお願い申し上げます。

　　　新事務所：

　　　　〒465-3333　愛知県名古屋市中区新原田1－1－3

　　　電話：052-000-0000

　　　ファックス：052-000-000X

　　　（電話番号、ファックス番号、メールアドレスは変わりません）

敬具

（株）イチイ・コンピュータ・エンジニアリング

代表取締役　山本三郎

〒465-3333　愛知県名古屋市北区松宮2－1－5

問い この手紙の目的は何か。

1 お世話になっている人へのお礼

2 新サービス開始の宣伝

3 新事務所開設の連絡

4 会社引っ越しのお知らせ

重要語彙

弊社　宣伝
<small>へいしゃ　せんでん</small>

関連語彙

貴社(手紙で使う)　当社　御社　辞退　苦情　催促
<small>きしゃ　てがみ　つか　とうしゃ　おんしゃ　じたい　くじょう　さいそく</small>

ステップ1　問いを読もう

問い：手紙（ビジネスレター）の目的は何か？

ステップ2　どのような文章か知ろう

◇会社から「各位（関係者の皆さま）」へのビジネスレター

◇ビジネスレターの目的／本題は「さて」「この度」の後にある。

さて、これまで弊社は交通の不便なところにあり、……、

この度 ……事務所を移転することになりました。
　　　　　　　　　　‖
　　　　　　　　引っ越す

ステップ3　選択肢と比べよう

1：お礼状ではない。「誠に有り難うございます」はあいさつである。

2：宣伝ではない。

3：新しく事務所を開いたのではない。

4：正解

ビジネスレターの一般的な形式

○○年○○月○○日

各位（〜様／お客様へ）

拝啓　××××××××××××××。

　さて、××××××××××××××

××××、この度、×××××××××。

××××××××××××××。

敬具

○○○○○

○○○○

←日付（手紙を書いた日）

←宛名／宛先

←あいさつ　「拝啓」は手紙の初めに使われる。

←本題の始まり／状況説明　

←本題（報告／お願いなど）

←あいさつ　「敬具」は手紙の最後に使われる。

←会社名・肩書き

←差出人氏名

会社名と差出人氏名は右上（各位の下）のことも

ある。

★ 例題13　問いに対する答えとして最もよいものを一つ選びなさい。

平成22年9月3日

①_____

みなみやま市・市庁舎建設グループ

　地域住民の皆さまには、新市庁舎建設工事に際しご理解とご協力を賜り、ありがとうございます。

　この度、新市庁舎建設地におきまして、大型建材の搬入を実施します。それに伴いまして、平成22年9月28日午前0時より24時まで、新川通り南1丁目交差点から、南3丁目交差点までの道路を車両全面通行止とさせていただきますので、ご協力の程よろしくお願いします。

　尚、当該通り沿いにお住まいの皆さまには大変ご迷惑をおかけいたします。当日車両通行をご希望の場合は、以下にご相談ください。

　詳細につきましては、市の公式ホームページ（http://www.xxxxxxcity.jp/）にてご確認ください。

連絡先　TEL：111-222-3333　内線211　（担当　政田）

問い　この文章のタイトルとして①_____に入るのはどれか。

1　新市庁舎建設工事のお知らせ

2　新市庁舎建設に伴う大型建材搬入のお知らせ

3　新市庁舎建設に伴う道路工事のお知らせ

4　新市庁舎建設に伴う道路通行止のお知らせ

重要語彙
当該（とうがい）　お知らせ（し）

関連語彙
通知（つうち）　変更（へんこう）　お誘い（さそ）　ご招待（しょうたい）　ご案内（あんない）　～の件（けん）

ステップ１　問いを読もう

問い：この文章のタイトルは？

ステップ２　どのような文章か知ろう

◇「みなみやま市・市庁舎建設グループ」から「地域住民」へのお知らせ

◇文章のタイトルはいちばん伝えたいことを短い言葉でまとめたもの

本題／大事なことは、「それに伴いまして」の後、「お願いします」の前を見る。

それに伴いまして、…車両全面通行止とさせていただきますので、ご協力の程…お願いします。

ステップ３　選択肢と比べよう

１：この文章は新市庁舎建設をすでに知っている人へのお知らせである。

２：大型建材搬入は状況説明である。

３：道路工事をするとは書かれていない。

４：正解

お知らせ文／お願い文の一般的な形式

〇年〇月〇日　　　　←日付（文章を書いた日）

＿＿＿＿＿＿のお知らせ／お願い　　　←タイトル

〇〇〇〇　　　←文章を書いた人／団体の名前

〇〇〇〇〇　　　←連絡先

文章を書いた人と連絡先は
いちばん下の右のこともある。

××××××××××××××××。　　　←あいさつ

この度、××××××××××××××。　　　← 本題の始まり／状況説明

それに伴いまして／つきましては、×××××××× ← 本題（お願いの内容）

××××××のので、××××××をお願いします／どうぞ
よろしくお願いいたします。

ここが重要!

尚／但し、×××××××××××××××× ← 追加情報／注意しなければ

××××××××××。　　　ならない点など

★ 例題14　問いに対する答えとして最もよいものを一つ選びなさい。

差出人：<tanakaichiro@tecnox.jp>

宛先：<hendra_chang@technox.jp>

日時：2011年12月15日　13:21:46

件名：新年会のご案内

株式会社ニッポン商事

ヘンドラ・チャン様

平素は格別のお引き立てに預かり厚く御礼申し上げます。

さて、この度弊社では、恒例となっております新年会を下記要領で行います。平成24年の新春を寿ぎ、併せて日頃の皆様からのご厚情に対しいささかの謝意を表したく存じます。

一年の節目を迎えご多忙のところ恐縮でございますが、何とぞご参会くださいますようお願い申し上げます。

日時　平成24年1月11日(水)午後7時より

場所　東京都新宿区朝日町１－３－５　東京ホテル　飛天の間

　　　(http://www.tokyohotel/accessx/index.html)

尚、誠に恐れ入りますが、１月７日までにご出欠をメールにてお知らせくださいますようお願い申し上げます。

株式会社　テクノサービス

代表取締役　田中一郎

住所：東京都新宿区山田町５－６－７

Tel：03-3292-6521

Fax：03-3292-5754

e-mail：tanakaichiro@tecnox.jp

問い このメールの内容として最も適切なものはどれか。

1 新年会を開くので出席してほしいという依頼

2 合同で新年会を開きましょうという提案

3 日頃お世話になっていることへのお礼

4 出欠のメールを早く出すようにという催促

ステップ1 問いを読もう

問い：メールの内容は？

ステップ2 どのような文章か知ろう

◇「テクノサービスの代表」から「ニッポン商事のチャンさん」へのメール

件名：新年会のご案内

◇本題／いちばん大事なことは、「さて、この度」の後、「お願い申し上げます」の前を見る。

さて、この度…恒例となっております新年会を下記要領で行います。

…何とぞご参会くださいますようお願い申し上げます。
　　　　　　∥
　　　　　集まる

ステップ3 選択肢と比べよう

1：正解

2：提案ではない。

3：日頃のお礼はあいさつで、本題ではない。

4：出欠のメールを早く出すようにとは書かれていない。

ビジネスメールの一般的な形式

差出人：○○○　　←メールを出した人

宛先：○○○　　←メールを受け取った人

日時：○○年○月○日　　←メールを送った／受け取った日時

件名：○○○○　　←タイトル

○○○　　←メールを受け取った人の所属

〜様（先生／各位）　　←メールを受け取った人の名前

××××××××××　　←あいさつ

さて、この度××××××××××××　　← 本題の始まり／状況説明

××。××××××××××××××

××××××××××くださいますよう　　← 本題

お願い申し上げます。　　×××がお願いの内容。

> ここが重要!

××：××××　　←詳しい内容

××：××××　　日時、場所など。

尚、×××××××。　　←追加情報／注意点／返信の要不要など

○○○　　←メールを出した人の会社名・名前・連絡先

重要語彙

恒例　下記要領　併せて　ご参会

関連語彙

主催　ご参集　ご高覧　万障お繰り合わせの上

練習の語彙

不本意　手違い　訂正　お詫び　同封　処分　廃止

練習39　問いに対する答えとして最もよいものを一つ選びなさい。

差出人：＜tanakaichiro@tecnox.jp＞
宛先：　＜hendra_chang@technox.jp＞
日時：　2012年10月15日 10:05:45
件名：　重要なお知らせ

株式会社ニッポン商事

ヘンドラ・チャン　様

平素は格別のお引き立てに預かり厚く御礼申し上げます。

さて、たいへん申し上げにくいことでございますが、昨今、原材料価格が急激に高騰し、残念ながら従来からの価格を維持することが非常に困難となってまいりました。

つきましては、誠に不本意ながら、添付ファイル（新価格表）のとおり価格を改定させていただくことになりました。

何とぞ、諸事情ご賢察の上、価格改定についてご理解くださいますようお願い申し上げます。

弊社といたしましては、品質の維持とサービスの向上などさらに努力していく所存です。

今後ともご愛顧いただきますよう、よろしくお願い申し上げます。

＝＝＝＝＝＝＝＝＝＝＝＝＝＝＝＝＝＝

株式会社　テクノサービス

代表取締役　田中一郎

住所：東京都新宿区山田町５－６－７

Tel：03-3292-6521

Fax：03-3292-5754

e-mail：tanakaichiro@tecnox.jp

問い　このメールの目的として最も適切なものはどれか。

1　商品の価格を上げることを知らせること。

2　商品の価格を上げないよう努力していることを知らせること。

3　原材料が高騰したことを知らせること。

4　品質の維持とサービスを向上させたことを知らせること。

練習40　問いに対する答えとして最もよいものを一つ選びなさい。

平成23年2月7日

株式会社　TTCコーポレーション
ウィラポーン・パンヤールック様

　拝啓　立春の候、ますますご繁栄のこととお慶び申し上げます。毎々お引立てにあずかり厚く御礼申し上げます。
　さて、2月1日付で送付いたしましたライティング・デスクの請求書ですが、弊社の手違いで、型番「DSK-BRN003」とすべきところを「DSK-BLK003」としてしまいました。金額に変更はございません。訂正するとともに、心よりお詫び申し上げます。正しい請求書を同封いたしましたので宜しくご確認のほどお願い申し上げます。
　尚、以前にお送りした請求書は処分していただければ幸いに存じます。今後はこのような事のないよう十分に注意いたしますので、変わらぬお引立てのほどお願い申し上げます。
　貴社のますますのご発展をお祈りしつつ、略儀ながら書中にてお詫び申し上げます。

敬具

株式会社　トーチュー家具製造
代表取締役　富山茂雄
Tel：123-4444-5555

問い　この文章の目的として最も適切なものはどれか。

1　いつも注文してくれることを感謝するとともに、ご機嫌伺いをしている。

2　請求書の金額が間違っていたことを謝り、古い請求書を送り返すように頼んでいる。

3　請求書の型番が間違っていたことを謝り、新しい請求書を同封したことを知らせている。

4　納品した商品が違う型番だったことを謝り、すぐに取り替えると言っている。

練習41　問いに対する答えとして最もよいものを一つ選びなさい。

平成23年12月18日

①＿＿＿＿＿＿＿＿＿＿＿＿＿

　いつも山坂市バスをご利用いただきまして、誠にありがとうございます。

　この度、山坂市バスでは、路線の整理・縮小の一環として、下記のとおり、平成24年1月22日(日)の運行をもちまして山坂酒井線(下記系統)を廃止させていただくことになりました。当路線をご利用のお客様には大変ご迷惑をおかけすることになりますが、ご理解のほど何とぞよろしくお願い申し上げます。

　永らくのご愛顧ありがとうございました。

山坂市バス株式会社　Tel：044-4444-55

記

廃止路線

　山78系統：山坂酒井駅　〜(やまざか小学校前)〜　塔洋町駅

　山76系統：山坂酒井駅　〜　塔洋町駅

運行最終日

　平成24年1月22日(日)

定期券・回数券の払い戻し

　廃止路線にかかる乗車券類につきましては、以下の窓口で払い戻しをいたします。手数料はかかりません。(平成24年10月30日まで)

　山坂市バス株式会社　山坂酒井駅営業所　Tel：044-4443-00

以上

問い　この文章のタイトルとして①＿＿＿＿＿に入るのはどれか。

1　路線バスご利用ありがとうございます

2　路線バス廃止のお知らせ

3　路線変更のお知らせ

4　路線バス乗車券払い戻し手数料について

2. 情報を探し出す―部分的な内容を尋ねる問い
1) 広告

☆ 例題15　以下はヤンさんの大学の近くにあるスーパーのアルバイト募集広告である。問いに対する答えとして最もよいものを一つ選びなさい。

スーパー　ナイト＆デイ　アルバイト募集！

勤務地	ナイト＆デイ　浅草7丁目店
業務	(1)販売　　(2)商品管理　　　(3)事務
勤務時間	a.8〜13時　b.13〜17時　c.16〜20時(事務のみ)
	d.17〜22時(販売・商品管理のみ)　e.22〜翌8時(販売のみ)
応募資格	土日(両日)含む週3日以上勤務できる方(土日と平日同じ時間帯での勤務)　　※長期勤務できる方大歓迎！
採用予定人数	若干名
待遇	昇給制度有、社保完、交通費支給
時給	a.b.c.d.930円　e.1000円
最寄り駅	銀座線「浅草駅」1番出口徒歩約4分
応募・問い合わせ先	電話連絡の上、履歴書(写真貼付)をご持参ください。
	ナイト＆デイ　浅草7丁目店
	台東区浅草7－11　℡03－3292－6191　　採用担当：伊田
	受付時間　平日9〜21時、土日9〜18時

問い　ヤンさんはアルバイトを探している。平日の午前9時から12時まで授業があり、日曜日の午後6時から7時半まで大学で剣道を習っている。商品管理の仕事がしたい。ヤンさんの条件に合う時間帯はどれか。

1　b

2　c

3　d

4　e

ステップ1　問いと選択肢を読もう

問い：平日午前9時から12時まで以外と、日曜日の午後6時から7時半まで以外で、商品管理の
　　　仕事ができるのはどの時間帯か？
選択肢：b．c．d．e．から選ぶ。

ステップ2　どこに情報があるか探そう

◇項目「勤務時間」を見る。

　　b．13〜17時　　c．16〜20時（事務のみ）　　d．17〜22時（販売・商品管理のみ）
　　e．22〜翌8時（販売のみ）

商品管理の仕事がしたい。→c．とe．は商品管理ではない。

◇項目「応募資格」を見る。

　　土日（両日）含む週3日以上勤務できる方（土日と平日同じ時間帯での勤務）

日曜日の午後6時から7時半まで働けない。　→　d．の時間帯では働けない。

ステップ3　正しい答えを選ぼう

1：正解
2：この時間帯は、事務のみである。
3：日曜日に働けないのでこの時間帯はできない。
4：この時間帯は販売のみである。

求人広告の一般的な形式

○○募集	←タイトル
勤務地：××××××	←実際に仕事をする場所
募集業務：××××××××	←具体的な仕事の説明
勤務曜日・時間：××××	
応募資格：××××	←応募者側が満たさなければならない条件
××××	（日本語堪能、３年以上の業務経験など）
××××	
待遇：××××	←会社側が提示する条件
××××	（社会保険完備、交通費支給など）
××××	
給与／時給：××××	←給料／時給がいくらか
最寄り駅：××××	
応募・問い合わせ先：××××	
住所：××××　TEL：××××	

重要語彙

応募資格　若干名　待遇　昇給制度　社保完（社会保険完備）　〜支給　時給
最寄り駅　履歴書　写真貼付

関連語彙

職務経歴書　書類選考　給与規定　固定給　賞与　福利厚生　有給休暇
時間外　手当　経験者優遇　学歴不問　〜必須　委細面談
応相談（相談に応じる）　〜尚可（〜であればさらに良い）

☆ 例題16　問いに対する答えとして最もよいものを一つ選びなさい。

2日間でも3日間でも4日間でも同料金！　　年末年始もあります！

特典

新千歳空港から札幌駅への移動にも使える北海道内JRフリーパス2日分つき！　2日間、JRに何回乗っても無料。（新千歳空港～札幌駅1,040円、札幌駅～小樽駅620円などがタダ！）

 輝きのホワイトイルミネーション

ロマンチック札幌フリープラン

往復航空券＋ホテルが驚きの特別価格！

2.4万円～4万円

出発日と旅行代金（1～3名様1部屋利用の場合）　お一人様			
12月8～24日	2.4万円	1月3日	3.2万円
1月4・5・6・9～31日		12月28日	3.5万円
1月7・8日	2.5万円	1月1・2日	3.9万円
12月25・26・27日	2.9万円	12月29・30・31日	4.0万円

1	1	1	羽田空港（12:45～15:00発）✈新千歳空港…＜各自JRで札幌駅へ移動＞…札幌泊
	2	2／3	＜終日自由行動。各自思い思いにお楽しみください＞　　　　　　　　札幌泊
2	3	4	札幌駅…＜各自JRで新千歳空港へ移動＞…新千歳空港✈羽田空港（13:00～14:25着） ※2日間プランの羽田空港お帰りは21:00～23:00着なので、札幌の観光を満喫できます。

■1名様より受け付け■1～3名様1室■添乗員なし■宿泊　札幌スノーホテル

ご予約お問い合わせはお電話で　　　　　（株）旅上手　0120-000-0000

営業時間（月～土）9:15～17:30

（日・祝）9:15～13:00

問い 冬休みに友達と二人で札幌に行きたい。12月27日と28日の2日間、このツアーで旅行した場合、二人のホテル代と交通費（羽田空港⇔新千歳空港⇔札幌駅）の合計はいくらか。

1　31,080円

2　58,000円

3　62,160円

4　70,000円

ステップ1　問いと選択肢を読もう
問い：12月27日出発、2名のホテル代と交通費の合計金額は？

ステップ2　どこに情報があるか探そう
◇大きい字、太い字に注目する。
　往復航空券＋ホテルが驚きの特別価格！　2.4万円〜4万円
◇表「出発日と旅行代金」を見る。
　12月27日　→　2.9万円（往復航空券＋ホテル一人分）　×　二人分　＝　5.8万円
◇旅行スケジュールを見る。
　新千歳空港…＜各自 JR で札幌へ移動＞
　札幌駅…＜各自 JR で新千歳空港まで移動＞
　　　　　　　↑
　　　　新千歳空港⇔札幌駅の JR の交通費は各自（＝自己負担）で払わなければならない？
◇「特典」を見る。太い字に注目する。
　新千歳空港から札幌駅への移動にも使える北海道内 JR フリーパス2日分つき！
　→　新千歳空港から札幌駅までの往復交通費0円

ステップ3　正しい答えを選ぼう
1：新千歳空港⇔札幌駅の JR の交通費も入った一人分の値段である。
2：正解
3：新千歳空港⇔札幌駅の JR の交通費も入った二人分の値段である。
4：出発日28日の二人分の旅行代金である。

重要語彙

フリーパス　終日自由行動　添乗員

関連語彙

部屋食　スイートルーム　離れ　チェックイン　チェックアウト　別料金　旅程

自由散策　各自負担　オプショナルツアー　追加代金　クーポン　往路　復路

指定席　グリーン車　特急券　乗車券

練習の語彙

昇1賞2（昇給年1回、賞与年2回）　必着　キャンペーン　登録　抽選　発送

練習42　問いに対する答えとして最もよいものを一つ選びなさい。

国際ＮＰＯ　広報スタッフ募集
ＳＫＫは水産物の持続的な供給を目指す
国際非営利団体です。

【仕事内容】広報活動など

【応募条件】英語力及びＰＣ（ワード・エクセル）スキル要

【　待遇　】当協会規定により優遇（昇１賞２　社保完　交通費全額支給）

【　休日　】週休２日、祝日、有給休暇

【　勤務　】東京　９時〜17時

【　応募　】８月27日（金）までに和・英文履歴書、和・英文カバーレター

（自己アピールを含む）をメール（abcd@abc.jp宛て）にてお送りください。

書類選考の上、通過者にはメールで面接日を通知いたします。秘密厳守、書類不返却。

水産管理協会（ＳＫＫ）

〒100－0000　東京都中央区日本橋１－１－１　TEL：03-3292-6521

問い　応募するのに適切な方法はどれか。

1　８月27日に和・英文の履歴書と和・英文のカバーレターを持って、面接に行く。

2　８月27日までにメールでアポイントを取り、指定された日に和・英文の履歴書と和・英文の
　カバーレターを持って面接に行く。

3　８月27日までにメールで和・英文の履歴書と和・英文のカバーレターを送る。書類選考に
　通ったら、連絡が来るので、指定された日に面接に行く。

4　８月27日必着で和・英文の履歴書と和・英文のカバーレターを郵送する。書類選考に通った
　ら、メールで連絡が来るので、指定された日に面接に行く。

練習43　以下はインターネットショッピングのホームページである。問いに対する答えとして最もよいものを一つ選びなさい。

クロクマ・ネットショッピング

> キャンペーン期間：
> 11月1日(火)〜12月1日(木)

大型テレビが当たる！

会員登録がお済みのお客様はもちろん、

お済みでない方も会員登録するだけで応募できます！

大型テレビほか、豪華賞品が合計10名様に当たります！

※賞品の詳しい内容はコチラ

応募方法

このプレゼントのご応募にはクロクマ・ネットショッピングへの会員登録が必要です(無料)。

ご登録がまだのお客様はコチラからご登録をお願いいたします。

　※ご登録済みのお客様は下記の応募フォームに必要項目をご入力の上、ご応募ください。

クロクマ・ネットショッピングにご登録のメールアドレス：＿＿＿＿＿＿＿＿＿

ご希望の賞品：　　○大型テレビ　　　　　○携帯音楽プレーヤー

　　　　　　　　　○旅行券20,000円　　　○加湿器

当選時の賞品お届け先：

お名前　　＿＿＿＿＿＿＿＿＿＿＿

郵便番号　＿＿＿＿＿　　住所　＿＿＿＿＿＿＿＿＿＿＿

電話番号　＿＿＿＿＿＿＿＿＿＿＿　　　　　　　**≫確認画面へ**

■応募期間

2011年11月1日(火)から12月1日(木)まで

■抽選・発送

※賞品の発送をもって発表にかえさせて頂きます。

※賞品の発送は2012年1月頃を予定しております。

問い 応募するにはどうすればいいか。

1　会員登録してから、12月1日までに応募フォームに必要項目を入力して、応募する。

2　11月1日までに応募フォームに必要項目を入力し、応募する。会員登録は必要ない。

3　登録料を払ってから会員登録をし、12月1日までに応募フォームに必要項目を入力して、応募する。

4　買い物をしてから、12月1日までに応募フォームに必要項目を入力し、応募する。会員登録は後でいい。

⭐ 例題17　以下は、イ・ミョンヒさんがあるホテルをインターネット予約した後、受け取った
Eメールである。問いに対する答えとして最もよいものを一つ選びなさい。

件名：ご予約承りました

イ・ミョンヒ様

この度は、予約お申し込みありがとうございました。
以下の内容でご予約を承りました。
ご宿泊当日、本メールをプリントアウトしたものをフロントにご提示ください。

【予約情報】
・予約番号　　　　：No.000000006246
・施設名　　　　　：宝川温泉　宝川ホテル
・チェックイン日時：2011年12月28日（水曜）14:00
・宿泊日数　　　　：1泊
・部屋数　　　　　：5室
・代表者　　　　　：イ・ミョンヒ 様
・代表者住所　　　：〒171-0033 東京都豊島区高田2－1
・メールアドレス：12345@xxxxx.com
・プラン名　　　　：銀世界スキーパック
【請求料金】
　★宿泊日：12月28日から1泊
　　大　人（女性）：10名様 × 10,000円 ＝ 100,000円
　　　　　　（男性）： 5名様 × 10,000円 ＝ 　50,000円
　★請求金額合計：150,000円（税込・サ込）
　★支払い方法：現地決済

■キャンセルポリシー
当予約のキャンセル・変更の場合、以下のキャンセル料を申し受けます。
　前日キャンセル　　　　ご宿泊料金の50%
　当日キャンセル　　　　ご宿泊料金の100%
　連絡なしの不泊　　　　ご宿泊料金の100%
　★15名様以上の場合には14日前からキャンセル料がかかります。
　　14日前から　ご宿泊料金の10%　　7日前から　20%
　★キャンセルはご宿泊日の2日前まで、以下のホームページでお手続きが可能です。
　　ご宿泊の前日、当日のキャンセルはお電話でお受けいたします。尚、15名様以上
　　のキャンセルの場合は、14日前からお電話にてご連絡ください。

予約の確認・変更・取消はこちら。

宝川温泉　宝川ホテル
〒379-1721 群馬県利根郡宝川1899
TEL：0278-00-0000　FAX：0278-00-000X
E-mail：takaragawa@bay.windx.ne.jp

問い この予約を12月18日にキャンセルする場合、最も適切な行動はどれか。

1　電話で連絡してキャンセルするが、キャンセル料は払わない。

2　ホームページでキャンセル手続きをし、20％のキャンセル料を払う。

3　電話で連絡し、10％のキャンセル料を払う。

4　ホームページでキャンセル手続きをし、10％のキャンセル料を払う。

ステップ1　問いと選択肢を読もう

問い：この予約を18日にキャンセルする。適切な行動は？

選択肢：キャンセル料　10％？　20％？　必要ない？　電話で連絡？　ホームページで手続き？

ステップ2　どこに情報があるか探そう

◇項目「【請求料金】」を見る。

宿泊日：12月28日から1泊

大人(女性)：10名様

　　(男性)：5名様

→予約人数は15名、キャンセル日(12月18日)は宿泊日の10日前

◇項目「■キャンセルポリシー」を見る。「尚」の後を見る。

　★15名様以上の場合には…14日前からご宿泊料金の10％　7日前から20％

尚、15名様以上のキャンセルの場合は、14日前からお電話にてご連絡ください。

ステップ3　正しい答えを選ぼう

1：キャンセル料は必要である。

2：電話で連絡が必要。キャンセル料は20％ではない。

3：正解

4：電話で連絡が必要である。

重要語彙
予約番号　サ込(サービス料込み)　現地決済　取消

関連語彙

デポジット　入金　支払手数料　期日　コンビニ決済　～桁

⭐ **例題18** 以下は、大学に勤めているチェンさんが受け取った学内メールである。チェンさんは１号館４階で働いている。問いに対する答えとして最もよいものを一つ選びなさい。

差出人：情報管理部
宛先：全員
件名：無線ネットワークの停止について
日時：12/02/10　15:46:02

関係者各位

無線ネットワークの停止について（通知）

　皆さまにおかれましては、日頃から情報基盤の管理・運営に多大なご協力をいただきありがとうございます。

　情報管理部では、新無線ネットワークシステム（以下「NEWNET」という）の導入を進めております。

　この度、添付のとおりNEWNET導入の作業を予定しています。作業時には、現在使用中の無線ネットワークが停止いたしますので、大変ご迷惑をおかけしますが、よろしくお願いいたします。尚、有線ネットワークは作業中も使用できます。

　作業予定日時に不都合がある場合は、下記照会先までご連絡ください。

※このメールは、該当しない部署にもお送りしておりますので、不要の際は破棄してください。よろしくお願いいたします。

本件照会先
　　情報管理部　ネットワーク管理・運用プロジェクト
　　E-mail　　　kanri-network@joho-tsusin-u.ac.jp

- - - - - - - - - - - - -

情報管理部
山崎　幸雄(yamazakiyukio@joho-tsushin-u.ac.jp)

＜添付ファイル＞　NEWNET切り替えスケジュール案

場所	作業年月日	作業時間	作業内容
１号館１階	2012年3月1日	12時〜17時	AP設置・システム切り替え
１号館２階、３階	2012年3月2日	9時〜17時	システム切り替え
１号館４階、５階	2012年3月3日	9時〜17時	システム切り替え
２号館１階、２階	2012年3月8日	9時〜17時	AP設置・システム切り替え
２号館３階	2012年3月9日	9時〜17時	システム切り替え
２号館４階	2012年3月10日	12時〜17時	システム切り替え

問い チェンさんが気をつけなければならないことは何か。

1 3月3日9時から17時まで、現在使っている無線ネットワークではなく、新しい無線ネットワークを使う必要がある。

2 3月3日9時から17時まで、現在使っている無線ネットワークではなく、有線ネットワークを使う必要がある。

3 3月10日12時から17時まで、有線ネットワークではなく、新しい無線ネットワークを使う必要がある。

4 3月10日12時から17時まで、新しい無線ネットワークではなく、現在使っている無線ネットワークを使う必要がある。

ステップ1　問いと選択肢を読もう

問い：チェンさん（1号館の4階にいる）が気をつけなければならないことは？

選択肢：3月3日？　3月10日？　何時から何時まで？

　　　　使っている無線ネットワーク？　新しい無線ネットワーク？　有線ネットワーク？

　　　　使える？　使えない？

ステップ2　どこに情報があるか探そう

◇タイトル（件名）を見る。

　「<u>無線ネットワークの停止</u>について（通知）」

◇「この度」の後を見る。

　「尚」の後には注意すべき点が書かれている。

　<u>この度</u>…NEWNET導入の作業を予定…<u>現在使用中の無線ネットワークが停止</u>いたしますので…

　<u>尚、有線ネットワーク</u>は作業中も<u>使用できます</u>。

◇スケジュール案を見る。

　　1号館4階　→　作業は3月3日　9時～17時

ステップ3　正しい答えを選ぼう

1：新しいネットワークは導入作業中で使えない。

2：正解

3：1号館4階にいるので3月10日ではない。新しいネットワークは導入作業中で使えない。

4：1号館4階にいるので3月10日ではない。現在使っている無線ネットワークは停止する。

重要語彙

| 管理 | 運営 | 導入 | 添付 | 作業 | 不都合 | 該当 | 破棄 | 照会先 |

かんり　うんえい　どうにゅう　てんぷ　さぎょう　ふつごう　がいとう　はき　しょうかいさき

管理　運営　導入　添付　作業　不都合　該当　破棄　照会先

関連語彙

かいとう　き　ひょうきのけん　てんぷしりょう　はいふしりょう　はいぞく　しんぼく

回答　貴～　表記の件　添付資料　配付資料　配属　親睦

こきゃく　そのむね　ぎょうむ　ししょう　しんせい　のうにゅう　ていれいかいぎ　ぎあんしょ

顧客　その旨　業務　支障　申請　納入　定例会議　議案書

練習の語彙

はらもどし　ふうしょ　きふ　たくはい　はんしゅつ　かいぜん

払い戻し　封書　寄附　宅配　リサイクル　搬出　改善

かいしゅう　じたい　そち　ぶしょ

回収　辞退　措置　部署

練習44　以下は、（株）ANTONIOのホームページに掲載されていたお知らせである。問いに対する答えとして最もよいものを一つ選びなさい。

「マリア・ホセ・ペレス　フラメンコショー」公演延期のお知らせ

3/19（月）南町ホールにて予定しておりました「マリア・ホセ・ペレス　フラメンコショー」は、本人急病のため、急きょ公演延期とさせていただくことになりました。ファンの皆様には、多大なるご迷惑をおかけいたしますこと、深くお詫び申し上げます。

つきましては、以下の日程で延期公演を行います。

□延期公演日程

5/22(火)南町ホール　開場/18:00　開演/18:30

3/19（月）のチケットをお持ちの方は、延期公演にそのままご入場いただけます。チケットを大切に保管頂き、延期公演当日にお持ちください。

尚、チケット代金の払い戻しを希望されるお客様は、以下のどちらかの方法でお手続きをお願いいたします。いずれの場合も払い戻し期限は、4/19までとさせていただきます（郵送の場合は4/19必着）。

１．プレイガイドまたは弊社でのお手続き

チケットをお買い求めのプレイガイドあるいは弊社にて、払い戻し手続きをお願いいたします。3/19のチケットと引き替えにお手続きをいたします。

２．郵送によるお手続き

払い戻し先情報（お名前、ご住所、お電話番号、金融機関名、支店名、口座番号、口座名義）を記入したメモをチケットとともに封書にて弊社までお送りください。その際必ず簡易書留でお願いします。お送りいただいた際の郵便代金は、払い戻し金振り込み時に、併せてご指定の口座に振り込みます。お振り込みはチケット到着から３週間後になります。

ご不明の点は以下までお問い合わせください。

2012年3月14日

（株）ANTONIO　代表取締役社長

アントニオ　ヤマグチ

03-3292-6521（月〜金曜日10:30〜18:30）

http://www.antonio-flamenco.com

問い　サムさんは南町駅前のプレイガイドでチケットを買ったが、5月22日の公演に行くことができない。お金を返してもらうのに最も適切な行動はどれか。

1　チケットを(株)ANTONIOへ持って行き、払い戻し手続きをする。

2　チケットを買ったプレイガイドへ、払い戻し先情報を書いたメモとチケットを簡易書留で送る。郵便代金はサムさんが負担するが、後で戻って来る。

3　宅配便で、払い戻し先情報を書いたメモとチケットを(株)ANTONIOへ送る。送料は立て替えるが、後で戻って来る。

4　簡易書留で、払い戻し先情報を書いたメモとチケットを(株)ANTONIOへ送る。郵便代金はサムさんが負担する。

練習45　問いに対する答えとして最もよいものを一つ選びなさい。

2011年　留学生のためのバザー

品物の寄附をお願いします！

ヤヨイ大学留学生会は、毎年新入生のためのバザーを開催しています。今回は4月18日に行う予定です。つきましては、留学生活に必要な生活用品をご提供くださいますよう、皆さまのご協力をお願いいたします。

【希望の品】電化製品（2006年以降製造のもの）

テレビ（23型以下）、冷蔵庫（80ℓ以下）、洗濯機、掃除機、炊飯器、

電気ストーブ、電子レンジ、ホットカーペット（2畳用以内）等

寝具（布団、毛布等）

小型家具（一人で持てる大きさ）

自転車

食器

日常生活用品　等

＊注意：大型電化製品、大型家具、パソコン、プリンター、照明器具、衣類、

書籍、食品は取り扱いません。

【受付期間】2011年4月9日〜4月14日　10:00〜17:00

【受付場所・問い合わせ先】ヤヨイ大学留学生会　電話／Fax：333-444-5555

〒000-0000　やよい市長田町1－1－1　ヤヨイ留学生寮1階

【注意事項】

＊品物は新品または新品同様のきれいなもの、十分使用できるものをお願いします。

＊受付時間内にお届けくださいますようお願いいたします（郵便、宅配不可）。

＊品物の引き取りには伺えませんのでご了承ください。

＊4月8日以前には受け付けられませんのでご注意ください。

＊バザー当日は、留学生及びその家族、バザースタッフ以外の入場はできません。

問い　リーさんは国へ帰るので、家で使っている23型テレビを留学生のために寄附したいと思っている。適切な方法はどれか。

1　4月8日に届くように、ヤヨイ大学留学生会に送る。

2　4月10日、お昼頃ヤヨイ大学留学生会に持って行く。

3　4月14日にヤヨイ大学留学生会に電話をして、取りに来てもらう。

4　4月18日、バザーの始まる前にヤヨイ大学留学生会に届ける。

練習46　以下は、ある会社の施設管理課から社員全員に出されたメールである。問いに対する答えとして最もよいものを一つ選びなさい。

宛先：zennin@xx.co.jp

差出人：施設管理課

件名：リサイクル古紙の搬出について

日時：11/06/23　11:24:53

関係者各位

最近、各部署から出される「リサイクル古紙」に資源化できないもの（クリップ、マグネット等）の混入が目立っています。4月にも改善をお願いしましたが、未だ改善されておらず、古紙回収業者から取引辞退もあり得るとの申し出もなされています。

つきましては、今回緊急改善の措置として、「リサイクル古紙」の収集袋に部署名、電話番号の明記のないものは、回収しないことといたします。各部署は、リサイクルできる古紙（コピー用紙、シュレッダー紙ごみ）であることを確認の上、指定の収集袋に必ず部署名、電話番号を明記して、指定日時、指定場所に出してください。

尚、新聞紙、広告、ちらし、雑誌、書籍、段ボールは、重ねて束ね、ヒモで十文字に縛って出してください。

－－－－－－－－－－－

トマス・ウィリアムズ

施設管理課

shisetsu@xx.co.jp

問い　印刷ミスをしたコピー用紙を捨てるとき、適切な方法はどれか。

1　コピー用紙だけを重ねて束ねて、ヒモで縛って出す。

2　「リサイクル古紙」収集袋に入れて、自分の所属部署と電話番号を書いて出す。

3　「リサイクル古紙」収集袋に入れて、所属部署を書き、ヒモで縛って出す。

4　新聞紙、広告などと一緒に収集袋に入れて自分の所属部署と電話番号を書いて出す。

3) 説明書き

☆ 例題19　以下は、電力会社のホームページに掲載されている口座振替についての文章である。問いに対する答えとして最もよいものを一つ選びなさい。

口座振替割引サービスについて

電気料金の支払方法を口座振替にすると、お客様の電気料金が年間630円の割引となります。

●お申し込み手続き

お手続きは、申込用紙に必要事項をご記入、押印するだけです。

＊口座振替の手続きができる場所

・日本電力管内にある金融機関や郵便局

・日本電力の営業所

＊口座振替の手続きに必要なもの

・お客様番号（「電気ご使用量のお知らせ」「電気料金領収証」に記載されています）

・預貯金通帳

・銀行や郵便局へのお届け印

●ご留意事項

　口座振替の手続き完了には、お申し込みいただいてから１〜２か月ほど、お時間がかかります。それまでの間は、当社からお送りする所定の振込用紙により、お近くの金融機関、コンビニエンスストアまたは日本電力の営業所でお支払いいただきますようお願いいたします。口座振替の手続きが完了しましたら、書面でお知らせいたします。

問い　銀行窓口で口座振替の手続きをする場合、必要なものは何か。

1　申込用紙、印鑑

2　印鑑、通帳

3　電気使用量のお知らせ、電気料金領収証、通帳

4　印鑑、通帳、お客様番号を記録したもの

ステップ1　問いと選択肢を読もう

問い：窓口での手続きに必要なものは？

選択肢：申込用紙？　印鑑？　通帳？　お知らせ？　領収証？　お客様番号？

ステップ2　どこに情報があるか探そう

◇項目「＊口座振替の手続きに必要なもの」を見る。

・お客様番号

・預貯金通帳

・銀行や郵便局へのお届け印
　　　　　　‖
　　　　印鑑

ステップ3　正しい答えを選ぼう

1：通帳と、お客様番号がわかるものが必要。申込用紙は不要である。

2：お客様番号がわかるものが必要である。

3：印鑑が必要である。

4：正解

重要語彙

口座振替　押印　お届け印　所定の振込用紙　書面　印鑑

関連語彙

留意

練習の語彙

加算　延長　容器　つり銭　差額　有効期限

練習47　以下は、コインランドリーにある洗濯乾燥機の使用方法を説明した文章である。問いに対する答えとして最もよいものを一つ選びなさい。

洗濯乾燥機の使用方法

①準備

　扉を開けてください。洗濯物を入れて、扉を閉めてください。ここで洗剤等を入れないでください。洗剤、柔軟剤（ソフター）は自動投入されます。

　　※ドラム洗浄（洗濯の前に洗濯槽の中を洗うこと）を行いたい方は、ドラム洗浄スイッチを押してください。洗濯の前にドラムを約1分間洗浄します（ドラム洗浄LEDが点灯）。

　　ご注意：洗濯物のないことを確認してからスイッチを押してください。

②コース選択

　ご希望のコースを選んでコーススイッチを押してください。

　スイッチを押すと、押されたコースのランプが点灯し、金額が表示されます。

③料金投入

　表示された料金を投入してください。指定金額まで投入されますと自動的に運転を開始します。

　　ご注意：「洗濯と乾燥コース」では、追加乾燥ができます。乾燥機の運転が始まってからコイン（100円玉のみ）を投入しますと、投入した金額分の時間が加算されます。100円で10分延長できます。

④終了

　表示時間が「0」になりましたらブザーで終了を知らせます。扉を開けて洗濯物を取り出してください。

問い　エンへさんは、コインランドリーで衣類を洗って、乾かしたい。乾燥を10分延長する場合の使い方として最も適切なものはどれか。

1　ドラム洗浄スイッチを押す→1分間待つ→洗濯物を入れる→コースを選ぶ→料金を入れる→乾燥の途中で100円入れる→ブザーが鳴ったら洗濯物を取り出す

2　洗濯物を入れる→洗剤と柔軟剤を入れる→コースを選ぶ→料金を入れる→乾燥が始まる前に100円入れる→ブザーが鳴ったら洗濯物を取り出す

3　ドラム洗浄スイッチを押す→1分間待つ→洗濯物を入れる→コースを選ぶ→料金に100円足した金額を入れる→ブザーが鳴ったら洗濯物を取り出す

4　洗濯物を入れる→ドラム洗浄スイッチを押す→1分間待つ→コースを選ぶ→料金を入れる→乾燥の途中で100円入れる→ブザーが鳴ったら洗濯物を取り出す

練習48　次の文章は、電子レンジについていた「ご飯の炊き方」の説明である。問いに対する答えとして最もよいものを一つ選びなさい。

○電子レンジは少量のご飯を炊くのに非常に便利です。

1．耐熱ガラス、または耐熱プラスチックの容器を使用します。

　　吹きこぼれることがありますので、少し深めのものを準備してください。

2．米1カップをとぎ、よく水を切ってから、容器に入れます。

3．容器に水1.2カップを入れ、30分から1時間そのまま置いて、十分に吸水させます。

4．容器にふたをします。容器にふたがない場合はラップをかけてください。

5．電子レンジ強(600W)で6分加熱します。

6．次に電子レンジ弱(200W)で15分加熱します。

7．電子レンジから容器を取り出し、ご飯を大きくかき混ぜます。

8．もう一度ふたをして、10分蒸らしたら、出来上がりです。

※豆ご飯を作るには

　水を入れるとき、大さじ2杯分の水を減らし、代わりに酒大さじ1、しょうゆ大さじ1、塩小さじ⅓を入れます。

　豆は塩を少々入れた熱湯でゆでて、柔らかくしておきます。米を15分加熱した後、炊けたご飯の容器に豆を入れて、一度大きくかき混ぜます。ふたをして10分蒸らしたら豆ご飯の出来上がりです。

問い　豆ご飯を作りたい。普通のご飯を炊くときと異なるのはどれか。

1　2と6

2　2と7

3　3と6

4　3と7

練習49　モハマドさんは友人から1000円の商品券を5枚もらった。以下は、同封されていた商品券の使い方の説明である。問いに対する答えとして最もよいものを一つ選びなさい。

ＡＢＣギフト券

　ＡＢＣギフト券は、お買い物・お食事・ご宿泊など日本中で幅広くお使いいただける大変便利な商品券です。

ご利用の手引き

　本券はＡＢＣデパートを始めとする50万店以上のＡＢＣギフト券取扱店でご利用いただけます。

○ご利用に際してのつり銭はお返しいたしかねますので、ご注意ください。

○差額がございます場合は、現金またはクレジットカードにて差額分をお支払いください。

　＊一部の店舗では、ギフト券＋現金＋クレジットカードの組み合わせではご利用いただけません。詳しくは、ご利用店にご確認ください。

○本券をＡＢＣデパートでご利用の場合に限り、ＡＢＣカードをお持ちのお客様に、ご利用金額の3パーセントのポイントがつきます。

○本券は、現金、新券、他の金券とのお取り替えはいたしかねます。

○本券は、左側のミシン線を切り取られますと無効となりますので、ご注意ください。

○金、銀、他の商品券などご利用いただけない商品がございますので、ご注意ください。

○本券に有効期限はありません。

○盗難または紛失などに関しては、当社は一切の責任を負いかねます。

○海外ではご利用いただけません。

問い 商品券を使って3800円の商品を買うのに適切な方法はどれか。

1　商品券を4枚使って、現金で200円おつりを返してもらう。

2　商品券を4枚使って、200円の商品券でおつりをもらう。

3　商品券を3枚使って、800円はクレジットカードで払う。

4　商品券を3枚使って、差額はＡＢＣカードのポイントで払う。

4) 表・リスト

☆ 例題20　リリアさんは部屋を探している。インターネットで、家賃9万円以下、西駅まで歩いて行ける物件を検索したところ、以下の6件が出てきた。問いに対する答えとして最もよいものを一つ選びなさい。

	徒歩 バス	家賃 管理費等	敷金 礼金	間取り 専有面積	建物種別 構造	物件階層	備考
1	徒歩10分	8.6万円 3,000円	8.6万 8.6万	1 LDK 40.19m²	アパート 軽量鉄骨造	2階建て 1階	徒歩5分圏内にスーパーあり
2	徒歩1分	7.3万円 2,000円	7.3万 --	1 R 26.91m²	アパート 木造	2階建て 2階	駅から至近です
3	徒歩15分	6.2万円 --	6.2万 --	1 K 18.42m²	アパート 木造	2階建て 2階	改装したばかりできれいなお部屋です
4	徒歩4分	7.3万円 2,000円	7.3万 --	1 R 26.91m²	マンション 重量鉄骨造	4階建て 3階	犬・猫可
5	徒歩10分	8.5万円 3,000円	8.5万 8.5万	1 LDK 36.95m²	アパート 軽量鉄骨造	2階建て 2階	徒歩5分圏内にスーパー、小学校あり
6	徒歩12分	6.5万円 3,000円	6.5万 6.5万	1 K 19.44m²	マンション 鉄筋コンクリート造	8階建て 8階	近くに商店街あり

問い　1階は防犯上危険なため、また、木造の建物は寒いと思うため避けたい。買い物に便利なところがいい。この条件で、毎月の家賃・管理費が最も安いのは、どの物件か。

1　1番　　　　　　　　　　　　　　　　2　2番

3　5番　　　　　　　　　　　　　　　　4　6番

重要語彙

徒歩　敷金　礼金　間取り　専有面積　備考　鉄骨　木造　至近　改装　鉄筋

関連語彙

賃貸　一戸建て　ワンルーム　築年数　南向き　日当たり良好　即入居可　保証人

練習の語彙

上映　コメディー　アクション　恋愛

ステップ１　問いと選択肢を読もう

問い：１階以外、木造以外で、買い物に便利なところ。
　　　毎月の家賃・管理費が最も安いのは？

ステップ２　どこに情報があるか探そう

◇問いにあるキーワードを探す。　→　１階、木造、買い物（店、スーパー）

　１番は１階である。

　２番は木造である。

　５番は２階で、木造ではない。近くにスーパーがある。

　６番は８階で、木造ではない。近くに商店街がある。

◇項目「家賃管理費等」を見る。

　５番　8.5万円＋3,000円＝88,000円

　６番　6.5万円＋3,000円＝68,000円

ステップ３　正しい答えを選ぼう

１：このアパートは１階である。

２：このアパートは木造である。

３：このアパートは家賃・管理費が高い。

４：正解

不動産の物件情報の一般的な形式

徒歩 バス	家賃 管理費等	敷金 礼金	間取り 専有面積	建物種別 構造	物件階層	備考
↑ 駅から 徒歩か バスか	↑ 毎月いくら かかるか	↑ 契約すると きにいくら かかるか	↑ 部屋の数／ 広さ	↑ 建物の種類／ 構造	↑ 何階建ての 建物か／部 屋は何階か	↑ その他の 情報

練習50　ファンさんは仕事が早く終わり、12時に東駅に着いた。15時半に駅前で友達と待ち合わせているので、それまで映画を見ようと思っている。以下は映画サイトに載っている広告である。問いに対する答えとして最もよいものを一つ選びなさい。

タイトル	おすすめ度 ☆☆☆☆☆	上映場所	上映開始 時間
ファイア・セブン 強盗を企てる7人の男たちが繰り広げるドタバタコメディー。クレイジーなアクションシーンが見逃せない！（上映時間2時間30分）	☆☆☆	シネ・イーストエンド 東駅より徒歩9分	10:00 12:40 15:20 18:00 20:40
太陽の昇るところ 静かな田舎町に暮らす人々のエピソード。どこにでもある日常の、心温まるストーリー。（上映時間1時間50分）	☆☆☆☆☆	シネ・イーストエンド 東駅より徒歩9分	9:30 11:30 12:30 14:30 16:30…
こどもの時間 いたずらの大好きなヒロシとユウジ。大人たちに内緒で2人が始めた秘密の遊びとは。（上映時間2時間15分）	☆☆☆	イーストクラブ・シネマ 東駅より徒歩15分	9:00 11:25 13:50 16:15…
ACEトラベル・エージェンシー なぜか旅行会社で働くことになった山田君。何をやっても失敗ばかり…。笑えること間違いなし！（上映時間1時間45分）	☆☆☆☆☆	イーストクラブ・シネマ 東駅より徒歩15分	9:20 11:15 13:10 15:00 16:55…
彼女の恋愛 仕事ばかりの毎日にうんざりしているヒロミ。そんな彼女の職場に仕事のできない上司が配属されて…。（上映時間2時間10分）	☆☆☆	イーストクラブ・シネマ 東駅より徒歩15分	9:50 12:10 14:30 16:50 19:10…

問い 待ち合わせ時間に遅れずに最初から最後まで見るという条件で、ファンさんの趣味にいちばん合っている映画はどれか。ファンさんは、ラブストーリーやコメディーが大好きである。また、なるべくおすすめ度が高い映画が見たいと思っている。

1　ファイア・セブン

2　太陽の昇るところ

3　ACEトラベル・エージェンシー

4　彼女の恋愛

実力養成編 第3部 実戦問題

第3部では、第1部、第2部で学んだことを応用し、実際の試験と同じ形式の問いに答える練習をします。ただし、一つの文章に問いが一つの形式（短文の問題）はすでに第1部で練習しましたので、ここでは扱いません。一つの文章に複数の問いがある形式の問題を解いていきましょう。

1．内容理解（中文）

　評論、解説、エッセイなどの文章について、第1部で解いたような問いが出題されます。中文では問いが三つ程度あります。

2．内容理解（長文）

　解説、エッセイ、小説などの文章について、第1部で解いたような問いが出題されます。長文では問いが四つあります。

3．主張理解（長文）

　社説、評論など抽象性・論理性のある文章について、第1部で解いたような問いが出題されます。問いが四つあり、その中の1問は筆者の主張を問うものです。

4．統合理解

　統合理解は、二つ以上の文章を読んで問いに答える問題です。第1部、第2部で学んだことの応用ですが、問題の形式が上の1〜3とは異なります。

　→問題形式の特徴、問題の解き方については、153ページを見てください。

5．情報検索

　情報検索は、情報素材の中から必要な情報を探し出す問題です。第2部で学んだことの応用ですが、問いが情報素材の前にあります。

　→問題形式の特徴、問題の解き方については、171ページを見てください。

1. 内容理解（中文）

☆ **例題21** 次の文章を読んで、後の問いに対する答えとして最もよいものを一つ選びなさい。

「我を忘れる」という表現がある。自分のことを忘れる、というのだから変な感じがするが、考えてみるとなかなかうまい表現だなと思う。映画などを見ていると、知らぬ間に主人公に同一化してしまって、主人公が苦境に立つと、こちらも胸が苦しくなったり、知らぬ間に手を握りしめていて、汗ばんできたりする。①それは別に映画の話であって、自分はいすに座ってそれを見ているのだから、何のことはない、と言えばそれまでだが、そんな観客としての自分のことは忘れてしまっているのだ。

子どもの劇場の仕事をしている人たちと雑談していると、面白いことを聞かせていただいた。最近の子どもたちは、劇を見ていても、それに入り込まずに、なんのかんのと言って、やじ (注1) で劇の流れを止めようとする。ピストルを見ると、「あんなのおもちゃだ」と言う。人が死んでも「死ぬまねしているだけ」と叫ぶ。悲しい場面のときに、妙な冗談を言って笑わせる。要するに、「クライマックスに達してゆくのを、何とかして妨害しようとしている」としか思えない。こうなると劇をする人も非常に演じにくいのは当然である。

主催者の人たちがもっと驚き悲しくなるのは、そのような子どもたちがやじで騒いで喜んでいた後で、その子の親たちが、「今日は子どもたちがよくノッていましたね」と喜んでいるのを知ったときであった。この親は「②ノル」ということをどう考えているのだろう。子どもたちは騒いで楽しんでいるかのように見える。しかし、実のところは劇の展開に「ノル」のに必死で抵抗しているのだ。「我を忘れる」のが怖いのだ。

（河合隼雄『しあわせ眼鏡』海鳴社）

(注1) やじ：話を聞いたり劇を見たりしながら、大きな声でからかったりして騒ぐこと

問1 ①それは何を指しているか。

1　主人公が苦境に立っている状況

2　映画を見ている状況

3　胸が苦しくなったり、汗ばんできたりすること

4　主人公に同一化すること

問2　子どもの親たちと筆者とでは、②ノルという言葉を違った意味で使っている。それぞれ、どういう意味だと思っているか。

1　子どもの親は「騒いで楽しむ」、筆者は「芝居や映画の世界に入り込んで、我を忘れる」という意味だと思っている。

2　子どもの親は「芝居や映画の世界に入り込んで、我を忘れる」、筆者は「騒いで楽しむ」という意味だと思っている。

3　子どもの親は「我を忘れる」、筆者は「クライマックスに達するのを妨害する」という意味だと思っている。

4　子どもの親は「クライマックスに達するのを妨害する」、筆者は「我を忘れる」という意味だと思っている。

問3　この文章の内容として最も適切なものはどれか。

1　最近の子どもたちはすぐ「ノル」ので、劇をする人は演じやすい。親もそのことを喜んでいる。

2　最近の子どもたちはやじで騒ぐので、劇をする人は演じにくくて困る。しかし、子どもが楽しんでいるのだから、親と同様に演じる側も喜ぶべきである。

3　最近の子どもたちは、映画や芝居の世界に入り込んで「我を忘れる」、ということが少ない。親もそのことに気づいている。

4　最近の子どもたちは、映画や芝居の世界に入り込んで「我を忘れる」、ということが少ない。しかし、親はそのことに気づいていない。

キーワード：「我を忘れる」、子ども、劇場、やじ、劇、ノル

　→　「我を忘れる」という表現と、子どもが劇を見ることについて書かれた文章？

☐問1☐に答える

「指示語」を含む文を見る。

「①それは…映画の話であって、自分はいすに座ってそれを見ている…」

つまり、「それ」＝「映画の(中の)話」＝映画の主人公が苦境に立っている状況

自分は「それ(＝映画の主人公の状況)」を見ている。

1：正解

2：映画を見ている状況とは、自分が「それ」を見ているという状況である。

3：胸が苦しくなったのは自分の状態で、映画の中の話ではない。

4：主人公に同一化する、というのは自分の状態で、映画の中の話ではない。

☐問2☐に答える

「下線部」を含む文を見る。

「この親は「②ノル」ということをどう考えているのだろう。」

「この親」の考える「②ノル」とはどういうことか、さかのぼって探す。

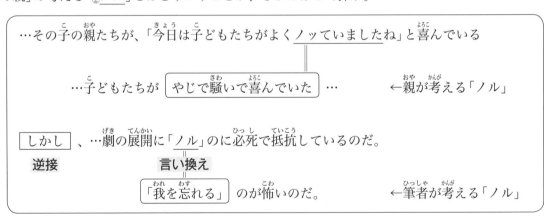

…その子の親たちが、「今日は子どもたちがよくノッていましたね」と喜んでいる

…子どもたちが │やじで騒いで喜んでいた│ …　　←親が考える「ノル」

│しかし│、…劇の展開に「ノル」のに必死で抵抗しているのだ。

逆接　　　　　言い換え

│「我を忘れる」│のが怖いのだ。　　←筆者が考える「ノル」

1：正解

2：筆者の考えと、子どもの親の考えが、反対になっている。

3：我を忘れる意味だと考えるのは筆者であり、子どもの親ではない。

4：親は子どもの行動を「妨害」だとは考えていない。ただ「騒いで楽しんでいる」と捉えているだけである。

問3 に答える

段落ごとの内容をまとめる。

第1段落：「我を忘れる」という言葉の紹介

第2段落：最近の子どもがやじで劇を止めようとするという話

第3段落：やじを飛ばす子どもは、「我を忘れる」ことができないのだという筆者の考え

1：劇をする人は「非常に演じにくい」と書かれている。

2：筆者は親が喜ぶことを問題だと考えており、演じる側も喜ぶべきだとは言っていない。

3：親は気づいていない。

4：正解

　①友人とはなんぞや、の答えは色々だろうが、臨床心理学者の故・河合隼雄さんの著作中にこんなのがある。「夜中の十二時に、自動車のトランクに死体をいれて持ってきて、どうしようかと言ったとき、黙って話に乗ってくれる人」(『大人の友情』)。なかなか刺激的だ。

　ある大学で、入学後1週間もしないうちに「友達ができない」と学生が相談にきたそうだ。「努力したがうまくいかない」と言う。その話に河合さんは驚いた。1週間努力すれば友達ができる、と思っていることにである。

　河合さんが健在なら何を思うだろう。せっかく入った大学を、友達ができないからと中退する学生が増えているという。このため、いくつかの大学が「友達づくり」の手助けを始めたそうだ。

　学生たちは、友達がいない寂しさより、いない恥ずかしさに耐えられないのだという。「暗いやつ」と見られたくない。周囲の目が気になって、学食(注1)で一人で食べられない。あげくに②トイレで食べる者もいるというから驚かされる。

　昨今、「友達がいなさそう」というのが、人への最も手厳しい罵倒(注2)ではないかと、作家の津村記久子さんが日本経済新聞に書いていた。人格の根本部分を、あらゆる否定をほのめかして(注3)突くからだという。やさしげでいて残酷なご時世、学生ならずとも孤高には耐えにくいようだ。

　携帯電話に何百人も「友達」を登録して、精神安定剤にする学生もいると聞く。だが、友情とは成長の遅い植物のようなもの。③造花を飾って安らぐ心の内が、老婆心(注4)ながら気にかかる。

(朝日新聞 2010年9月17日)

(注1)学食：学生食堂

(注2)罵倒：ののしる言葉

(注3)ほのめかす：遠回しにしぐさや言葉に表して示す

(注4)老婆心：必要以上に気をつかい、世話を焼こうとする気持ち

問1 ①友人とはなんぞやとあるが、河合隼雄さんによると、どんな人が友人なのか。

1 　いつでも遊びにきてくれて、私と話してくれる人

2 　どんな状況にあっても、私に協力してくれる人

3 　私に新しい刺激を与え、私を楽しませてくれる人

4 　私のためなら死体も怖がらず、勇気を出してくれる人

問2 ②トイレで食べるのはなぜか。

1 　一人だけの空間にいれば、一緒に食べる友達がいないことを見られずに済むから。

2 　自分に自信がないので、自分が食べている物や姿を見られるのが恥ずかしいから。

3 　友達のいない寂しさを忘れるには、楽しそうに食べる人のいない場所がいいから。

4 　「暗いやつ」だと思われると、周りの友達に嫌われてしまうかもしれないから。

問3 ③造花とは何を指すか。

1 　本当の友人のようだが、実は本物とはいえない「友達」

2 　本当の友人よりも長く美しい関係が続けられる「友達」

3 　生きた植物とは違って、いつまでも枯れない美しい植物

4 　本物の植物とは違って、安くて世話をする必要もない植物

練習52　次の文章を読んで、後の問いに対する答えとして最もよいものを一つ選びなさい。

　日本で本格的に時計が作られた記録は、西暦671年（天智天皇10年）まで遡ります。天智天皇が飛鳥(注1)において水時計を作らせたのが最初と言われています。この天智天皇の水時計は「①漏刻」と呼ばれ、四角い箱を階段状に重ねたような構造をしていたものと考えられています。時刻は鐘や太鼓によって民衆に告げられたと記録されています。日本書紀によると、この漏刻が設置されたのが太陰暦(注2)の4月25日のことでした。これを太陽暦(注3)に直すと6月10日になります。現在、この日は「②時の記念日」とされています。

　それ以来、さまざまなタイプの時計によって時間が計測されてきました。ただし、それぞれの時代に用いられた時間の制度は異なっていました。今では1時間は1日の24分の1であり、昼と夜とでは時間の単位が変わることはありません。このように、時間の単位が一定であるような時間の制度を「定時法」と呼びます。しかしながら、江戸時代から明治の初期のころまでは、昼と夜とでは時間の単位が異なる「不定時法」を用いていました。つまり、日の出を「明け六つ」、日の入りを「暮れ六つ」とし、昼も夜もその間を均等な六つの時間帯に分けていました。（中略）

　つまり、③いっときの長さは、春分の日(注4)と秋分の日(注5)は、現代の時間の単位でいう2時間にあたりますが、夏至(注6)に近ければ昼のいっときは2時間より長く、夜のいっときは2時間よりも短くなります。冬至(注7)に近ければ、その逆になります。

（一川誠『時計の時間、心の時間―退屈な時間はナゼ長くなるのか？』教育評論社）

（注1）飛鳥：奈良時代の都があった場所。現在の奈良県にある。

（注2）太陰暦：月の満ち欠け（月が丸いか細いか）を基準にして決めた暦（カレンダー）

（注3）太陽暦：太陽の運動を基準にして決めた暦。現在、多くの国で使われている。

（注4）春分の日：昼の長さと夜の長さが同じになる日。3月21日頃

（注5）秋分の日：昼の長さと夜の長さが同じになる日。9月23日頃

（注6）夏至：昼間（夜明けから日が暮れるまで）の長さが1年でいちばん長い日

（注7）冬至：昼間（夜明けから日が暮れるまで）の長さが1年でいちばん短い日

問1 ①漏刻とは、どのような時計か。

1　日本で初めて本格的に作られた時計

2　民衆に時刻を伝えるための鐘や太鼓が付いた時計

3　天智天皇が四角い箱を階段の上に並べて作った時計

4　西暦671年、飛鳥において世界で初めて作られた時計

問2 ②時の記念日とは、どのような日か。

1　日本で最初の時計に関する記録が発見された日

2　天智天皇が作らせた漏刻が設置された日

3　天智天皇が漏刻を作らせたということが民衆に告げられた日

4　太陰暦から太陽暦に直された日

問3 ③いっときの長さについて最も適切な説明はどれか。

1　冬は、夏より昼のいっときが長くなり、夜のいっときが短くなる。

2　冬は、夏より昼のいっときが短くなり、夜のいっときが長くなる。

3　いっときの長さは、季節によって変化するが、昼と夜では常に同じである。

4　いっときの長さは、昼と夜とで変化するが、季節によっては変化しない。

練習53 次の文章を読んで、後の問いに対する答えとして最もよいものを一つ選びなさい。

　いたるところで子どもの虐待(注1)が起きている。近所の人が通報しても親が虐待を認めなかったり、児童相談所で預かっても親が取り返しにきたり。なすすべ(注2)はあるはずなのに、①機能していない。

　「②社会が子どもを守る」などというが、それは美しい話で、子どもの生殺与奪(注3)の権は最終的には親が握っている、と私は考える。

　子どもを虐待する親というのは、「大人」になれていない。大人というのは、自分がエリートの立場になっているかどうかということである。エリートというと、いい大学を出て、高給取りの仕事についている人を想像しがちだが、それは違う。エリートとは、突き詰めれば、人の命を預かることなのである。

　子どもがいくら言うことを聞かなかろうと、無条件で子どもを受け入れ、育てるのが、親である。子どもにとって、親は立派なエリートである。虐待をする親というのは、自分がエリートであるとは気づいていない。親というのはそれほど重い立場にあるのだが、それを知らず、周囲も教えずに子どもをうっかり持ち、挙げ句の果てに虐待する。そして、子どもの生きる権利を奪う。

　人の命を預かったからには、他人に言えないことを黙って背負う忍耐が求められる。ときに汚れ役を買って出る覚悟も必要だろう。そういう意味で、③親になるエリート教育が求められるのである。

（養老孟司「親はみな「エリート」である」『AERA』2010.10.04号　朝日新聞出版）

（注1）虐待：ひどい扱いをすること
（注2）すべ：方法
（注3）生殺与奪：人をどのようにも思いのままにすること

問1 ①機能していないとはどういう意味か。

1 親が虐待を認めない。

2 子どもを親の虐待から守れない。

3 近所の人が通報している。

4 児童相談所が子どもを預かっている。

問2 ②社会が子どもを守るという言葉について、筆者はどう考えているか。

1 美しい心を育てるために良いことである。

2 人を感動させるすばらしい話である。

3 実現することの難しい理想論である。

4 社会が子どもを守るのは当然の話である。

問3 筆者の言う③親になるエリート教育とはどのような教育か。

1 子どもを社会の成功者にするために、どのように教育すべきかを教える教育

2 言うことを聞かない子どもをどのように育てればいいかを教える教育

3 豊かで愛情あふれる生活が子どもにとって不可欠であることを教える教育

4 親は子どもの命を預かる責任ある立場であるということを教える教育

練習54　次の文章を読んで、後の問いに対する答えとして最もよいものを一つ選びなさい。

　下の文章は、高次脳機能障害（事故などで脳の組織が壊れ、物事をうまく認識できないために起こる障害）を持つ人が書いたものである。

「なんのために勉強するの」

　もし子どもにそう聞かれたら、私はこう答えたい。

「脳が壊れてもちゃんと生きていくためよ」

　高次脳機能障害では、その人のそれまでの人生が如実に(注1)出ると言われている。脳の一部が壊れたとき、脳は残された正常な機能を総動員して壊れた部分を補い、危機を乗り越えようとするものらしい。そのため、昔とった杵柄(きねづか)(注2)にしろ、叩(たた)けば出るほこり(注3)にしろ、①その人の歴史が浮かび上がってくるというのである。

　その人の歴史とは、言い換えるなら、その人の積んできた経験だ。そして脳には、経験が記憶として保存されている。たとえふだんは思い出すことがなくても、幸せな経験も苦い経験もみんなしまいこまれていて、案外しっかりと長期にわたってストックしている。それをのちの人生で、必要に応じてうまく引き出しながら②使ってくれているのである。

　脳が壊れて貧弱な思考しかできなくなっても、わずかに働く脳細胞をフル稼働して重要な人生の選択や決断をしなければならないときがある。そのときの判断材料となるのも、やはり経験だ。経験のないことは、脳にも記憶されていない。ないものはどうやったって、引き出しようがない。

（山田規畝子『壊れた脳　生存する知』角川学芸出版）

(注1) 如実に：事実のとおり、はっきりと
(注2) 昔とった杵柄(きねづか)：過去に身につけた技能
(注3) 叩(たた)けばほこりが出る：過去を細かく調べれば、欠点や弱点が見つかる

問1 ①<u>その人の歴史</u>とは何を指すか。

1　高次脳機能障害を持つ人が重ねてきた経験

2　高次脳機能障害を持つ人が障害に至った経緯

3　危機を乗り越えようとしている人が書き続けてきた記録

4　危機を乗り越えようとしている人が危機に至るまでの過程

問2 ②<u>使ってくれている</u>とは、何（だれ）が何を、使っていることを指すか。

1　脳が、その中にしまいこまれた幸せな思い出を使っていること

2　脳が、その中に保存されているさまざまな記憶を使っていること

3　高次脳機能障害を持つ人の周囲の人々が、その人についての記憶を使っていること

4　高次脳機能障害を持つ人の周囲の人々が、その人の積んできた経験を使っていること

問3 この文章の内容として最も適切なものはどれか。

1　万一のために、どんな人でもできるだけ多くの経験をしておいたほうがいい。

2　将来何があっても困らないように、子どもはしっかり勉強しておいてほしい。

3　高次脳機能障害にならないように、脳をよく使って生活することが大切である。

4　人生の選択や決断をする際には、自分の経験を振り返ってよく考えるべきだ。

⭐ **例題22** 次の文章を読んで、後の問いに対する答えとして最もよいものを一つ選びなさい。

　数年前のことである。ある大学の構内でこんな事件が起こった。二人の男子学生が取っ組み合いのすさまじいケンカを始めたのだ。格闘技(注1)系の運動部に入っている男子学生が本気で殴ったので、相手の学生は目のあたりを負傷して、たいへんな出血だったらしい。救急車がやってくる騒ぎになってしまった。（中略）

　この二人は同じ学部、同じ学科の男子学生で、その年に入学したばかりだった。これから同じ環境であと四年間も一緒に勉強していくわけである。なんとか和解ができないものかと、私はケンカをした二人の学生と一人ずつ面談することにした。

　話をきいてみて興味深かったのは、この二人の学生が相手に対して言った言葉がほぼ同じだったことである。

　「あいつのことは入学したときから虫が好かなかった。目立ちたがり屋で、軽薄で。あんなヤツと一緒に勉強してると思うと、なんかムカついて。あいつみたいなのが将来、福祉関係の仕事をしようなんて絶対許せない」

　彼らは相手のことをこんなふうに表現したのだ。言葉の選び方に多少の違いはあるが、内容はほとんど変わらない。「①虫が好かない」という表現はまったく同じだった。

　理由はよくわからないが、その人間がなんとなくイヤだ、嫌いだというときに、私たちは「虫が好かない」という表現をよく使う。その"虫"とはなんだろうか？

　虫が好く、好かないの背景にあるのは〈投影(注2)〉という心理である。自分自身が嫌いで隠したいと思っている部分と似た面が相手にみえると、人は無意識に拒絶反応を起こす。相手に自分自身を投影させて嫌悪感を増幅させる。

　そこで私は、彼らに②「あなた自身は自分をどんな人間だと思っているのか」という質問を投げかけてみた。深く話しこんでみると、彼らのなかに少しずつ〈気づき〉の兆候(注3)がみえてきた。「実は子どものころから目立ちたがり屋のところがあったみたいだ」「いつも自信がなくて、誰かにほめられるのを期待していた」といった、自分を振り返る作業を彼らがし始めたからだ。そして、二人の話した内容を比べてみると、自分が嫌だな、人に知られたくないなと思っている部分が③驚くほどよく似ていたのである。

　そのことを二人に話し、私は改めて彼らにきいてみた。ケンカの原因はなんだったと思うか、と。すると、面談を開始するまでは互いにムキになっていた彼らが、こんな結論を導き出したのだ。

　「今まであいつのことをイヤだ、イヤだと思っていたけど、本当はあいつのことが嫌いというより、自分の目立ちたがり屋のところとか、そういう部分が嫌いで、許せなかったんですね。あいつ

といると自分のイヤな部分をみせつけられているようで……」

　自分を内省してみることで、ケンカの原因が二人の対立にあったのではなく、実は自分自身のなかにあったのだと彼らは気づいたのである。

（井上孝代『あの人と和解する』集英社）

（注１）格闘技：一対一で格闘するスポーツ。柔道、レスリングなど

（注２）投影：あるものの存在をほかのものの上に映すこと

（注３）兆候：物事が起こる前ぶれ

問 1 ①虫が好かないと表現できる例はどれか。

1　とてもイヤなことを言われたので、その人を避けている。

2　話したことはないが、なぜかイヤだという気持ちを持つ。

3　とても親しかったが、ケンカして嫌いになってしまう。

4　初めは親しかったが、何となくつきあわなくなってしまう。

問 2 筆者が②「あなた自身は自分をどんな人間だと思っているのか」という質問をしようと思ったのは、なぜか。

1　自分のいいところに気づかせたいと思ったから。

2　自分自身をよく振り返って反省させたいと思ったから。

3　相手のなかに見た、嫌いな自分に気づかせたいと思ったから。

4　二人がどんな人間か知りたいと思ったから。

問 3 ③驚くほどよく似ていたとあるが、何が似ていたのか。

1　二人が話したケンカの原因が似ていた。

2　二人の、筆者に対する態度が似ていた。

3　二人とも自分のことを人に知られるのが嫌だというところが似ていた。

4　二人が隠したいと思っている自分自身の弱点が似ていた。

問4 この文章の内容として最も適切なものはどれか。

1　筆者はケンカをした学生二人を和解させるために二人と話をしたが、結局、二人は互いに相手を非難し、和解の糸口は見つけられなかった。

2　筆者は、ケンカをした二人の学生と話す中で「自分のなかにある嫌な面が相手のなかにもあるのを見たために、相手を嫌っている」ということを二人に気づかせることができた。

3　「虫が好かない」という理由で互いを嫌っていた二人の学生は、自己分析をしてもなぜ相手のことが嫌いなのか理由を見つけることができなかったので、筆者が指摘した。

4　自分のなかにある嫌いな部分を他人に見つけた場合、その人に対して嫌悪感を抱くことがあるが、その感情をコントロールしなければならないと筆者が教えた。

キーワード：二人、学生、ケンカ、「虫が好かない」、自分
　→　学生二人のケンカについて書かれた文章？

問1 に答える

例を選ぶ問題。「虫が好かない」の意味は「理由はよくわからないが、その人間がなんとなくイヤだ、嫌いだ」とある。これに合う例を選ぶ。

1：イヤなことを言われたという理由がある。
2：正解
3：ケンカという理由がある。
4：つきあわなくなった、というだけでは不十分。

問2 に答える

理由・原因を問う問題。「理由を示す表現」に注目する。
「 そこで 私は、…「②あなた自身は自分をどんな人間だと思っているのか」という質問を…」
この前の段落が理由となる。「言い換え」に注目して内容を読み取る。

自分自身が嫌いで隠したいと思っている部分と似た面が相手にみえる　→　拒絶反応
‖
相手に自分自身を投影させて　→　嫌悪感を増幅

つまり、相手を嫌うのは、実は、相手のなかに自分の嫌いな部分を見ているからである。

それに気づかせるために、筆者は下線部②の質問をしたのである。

1：気づかせたいのは嫌いで隠したいと思っている部分で、いいところではない。

2：反省させたいとは思っていない。

3：正解

4：筆者は二人のことを知りたいとは思っていない。

問3 に答える

「下線部」を含む文の構造を見て、「何が」似ていたのかを読み取る。

> 二人の話した内容を比べてみると、
> 自分が嫌だな、人に知られたくないなと思っている部分が驚くほどよく似ていた。
> ‖
> （二人が隠したいと思っている自分自身の弱点）

1：二人が話した内容は自分はどんな人間かという問いの答えである。「ケンカの原因」はこのときは聞いていない。

2：筆者に対する態度については書かれていない。

3：知られたくないのは、自分の嫌な部分についてだけである。

4：正解

問4 に答える

段落ごとに内容をつかむ。

> **第1～6段落：** ケンカした二人の学生に筆者が面談すると、二人とも相手を「虫が好かない」と表現した。
>
> **第7段落：** 「虫が好かない」の背景にある心理
> ＝〈投影〉＝自分自身のイヤな面を相手のなかに見つけること
>
> **第8段落：** 二人の学生に「あなたは…どんな人間？」と尋ねると、二人の発言は似ていた。
>
> **第9～11段落：** 学生たちは、ケンカの原因は「自分自身のなかにあった」と気づいた。

学生の気持ちの変化(筆者の質問の「前」と「後」の対比)に注目して、全体をまとめる。

面談の初めは、ケンカをした二人の学生は、お互いに相手のことを「虫が好かない(＝理由はわからないが嫌いだ)」と言っていた。(第1〜7段落)

しかし、筆者が「自分自身」について内省させると、二人は相手のなかに「自分のイヤな部分」を見ていたことに気づき、ケンカの本当の原因を理解した。(第8〜11段落)

「虫が好かない」という言葉の裏には、投影の心理が隠れていたのである。

1：ケンカの原因は「自分自身のなかにあった」と気づき、和解の糸口は見つけられた。

2：正解

3：筆者が指摘したのではなく、自分自身で見つけることができた。

4：コントロールしなければならないとは言っていない。

⭐ 例題23　次の文章を読んで、後の問いに対する答えとして最もよいものを一つ選びなさい。

「こんにちは」とその初老の男が声をかけた。

猫は少しだけ顔をあげ、低い声でいかにも大儀そうに(注1)挨拶をかえした。年老いた大きな黒い雄猫だった。

「なかなか良いお天気でありますね」

「ああ」と猫は言った。

「雲ひとつありません」

「……今のところはね」

「お天気は続きませんか?」

「夕方あたりからくずれそうだ。そういう気配がするな」と黒猫はもぞもぞと片足をのばしながら言った。それから目を細め、あらためて男の顔を眺めた。

男はにこにこと微笑みながら猫を見ていた。

猫はどうしたものかと少しのあいだ迷っていた。それからあきらめたように言った、「ふん、①あんたは……しゃべれるんだ」

「はい」と老人は恥ずかしそうに言った。そして敬意を示すように、よれよれになった綿の登山帽を頭からとった。「いつでも、どのような猫さんとでもしゃべれるというのではありませんが、いろんなことがうまくいけば、なんとかこのようにお話をすることができます」

「ふん」と猫は簡潔に感想を述べた。

「あの、ここにちょっと腰をおろしてかまいませんか?　ナカタはいささか歩き疲れましたので」

黒猫はゆっくり身体を起こし、長い髭を何度かぴくぴくと動かし、顎がはずれてしまいそうなくらい大きなあくびをした。「かまわないよ。というか、かまうもかまわないも、好きなところに好きなだけ座ればいい。それについちゃ誰も文句はいわないよ」

「ありがとうございます」と言って男は猫の隣に腰を下ろした。「いやいや、朝の6時過ぎからずっと歩いておりました」

「えーと、それで、あんたは……②ナカタさんっていうんだね」

「そうです。ナカタと申します。猫さん、あなたは?」

「名前は忘れた」と黒猫は言った。「まったくなかったわけじゃないんだが、途中からそんなもの必要もなくなってしまったもんだから、忘れた」

「はい。必要のないものはすぐ忘れるものであります。それはナカタも同じであります」と男は頭をかきながら言った。「といいますと、③猫さんはどこかのお宅で飼われているんじゃないんですね」

「昔はたしかに飼われていたこともあった。でも今は違う。近所のいくつかの家でときたまご飯はもらっているけど……、飼われちゃいない」

ナカタさんはうなずいて、しばらく黙っていた。それから言った、「それでは猫さんのことを、オオツカさんと呼んでよろしいでしょうか？」

「オオツカ？」と猫はちょっとびっくりして相手の顔を見つめた。「なんだい、それは？　どうしてオレが……オオツカなんだい？」

「いいえ、たいした意味はありません。ナカタが今ふと思いついただけであります。名前がないと覚えるのに困りますので、適当な名前をつけただけであります。名前があるとなにかと便利なのであります。そうすればたとえば、何月何日の午後に＊＊２丁目の空き地で黒猫のオオツカさんに出会って話をしたという具合に、ナカタのような頭の悪い人間にも、ものごとをわかりやすく整理することができます。そうすれば覚えやすくなります」

「ふん」と黒猫は言った。

（村上春樹『海辺のカフカ（上）』新潮社）

(注1) 大儀（たいぎ）そうに：疲れていてめんどうくさいような様子で

問1 ①あんたは……しゃべれるんだとあるが、どういう意味か。

1　あなたは猫と話せるんですね。
2　あなたは日本語が話せるんですね。
3　あなたは声が出せるんですね。
4　あなたは猫の気持ちがわかるんですね。

問2 ②ナカタさんっていうんだねとあるが、猫が男の名前を知っているのはなぜか。

1　以前会ったことがあるから。
2　人の名前がわかる能力を持っているから。
3　初老の男が自分で名前を言ったから。
4　人から聞いて知っていたから。

問3 男が③猫さんはどこかのお宅で飼われているんじゃないんですねと言ったのはなぜか。

1　こんなところでのんびり寝ているなら、きっと飼い猫ではないだろうと思ったから。
2　こんなところでのんびり寝ているなら、きっと飼い猫だろうと思ったから。
3　今、名前を覚えていないなら、きっと飼い猫ではないだろうと思ったから。
4　今、名前を覚えていないなら、きっと飼い猫だろうと思ったから。

問4 男は、名前というものをどう考えているか。

1 名前は人間や猫にとって不可欠で、その人自身を表すものであるから、つけるときには、その人らしいものを考える必要がある。

2 名前は、特別な意味を持たず、その名前である必然性もないが、ものごとを整理し、記憶するのに便利である。

3 名前というのは、実用的というより、その人 (猫) の人生に影響を与える不思議な力を持つものであるから、本人が自分でつけたほうがいい。

4 名前は、猫の世界では必要ないのだが、人間との関わりの中では便利なものであり、自分とつきあう以上は、猫がものごとを整理して記憶できるようにつけておいたほうがいい。

キーワード：初老の男、猫、ナカタ、オオツカ
(初老の男＝男＝老人＝ナカタ)
(猫＝年老いた大きな黒い雄猫＝黒猫＝オオツカ)
「   」：初老の男と猫の会話 → 小説の一部分？

問1 に答える
「下線部」の意味を問う問題。猫の質問の意味を読み取る。

> 猫：   「あんたは…しゃべれるんだ」
> ‖
> 男：「はい…いつでも、どのような猫さんとでもしゃべれるというのではありませんが…
>   なんとかこのようにお話をすることができます」

猫に対する男の返事から、「あんた (=男) は猫と話せるんだね」という意味だとわかる。

1：正解
2：男と猫の話す言葉が日本語だとは書かれていない。
3：猫の言う「しゃべれる」とは、単に声が出せるという意味ではない。
4：猫の気持ちがわかるのではなく、猫と話せると言っている。

理由を問う問題。

> 男：「ここにちょっと腰をおろしてかまいませんか？
>
> ナカタはいささか歩き疲れましたので」
>
> ……男は猫の隣に腰を下ろした。
>
> 猫：「…それで、あんたは……ナカタさんっていうんだね」

「歩き疲れたので、腰をおろしたい」のは男である。つまり、男は自分自身を「ナカタ」と呼んでいることがわかる。これを聞いて、猫は男の名前が「ナカタ」だとわかったのである。

1：この後「ナカタと申します」と自己紹介をしているので、初対面である。

2：男が自分を「ナカタ」と呼ぶのを聞いたからで、猫に特別な能力があるわけではない。

3：正解

4：男自身が名前を言っている。ほかの人から聞いたのではない。

問3 に答える
理由を問う問題。接続表現に注目する。

> 猫：「名前は忘れた。…まったくなかったわけじゃないんだが、途中からそんなもの必要
>
> もなくなってしまったもんだから、忘れた」
>
> 男：「 といいますと 、猫さんはどこかのお宅で飼われているんじゃないんですね」
>
> ということは、つまり　　　　　　　飼われていないということですね

「といいますと」は、相手の発言を根拠にして何かを推測し、「ということは、つまり…ですか」と確認するための表現である。男は、直前の猫の発言（＝名前は必要なくなったので忘れた）を根拠にして、「今は飼い猫ではない」と推測している。

1：猫の言ったことから推測したので、寝ている様子を見たからではない。

2：飼い猫とは思っていない。

3：正解

4：飼い猫とは思っていない。

問4 に答える

登場人物の考えを問う問題。名前について男が話している部分を探す。

> 「たいした意味はありません。…今ふと思いついただけ…。適当な名前をつけただけ…。名前があるとなにかと便利…。ものごとをわかりやすく整理することができます。そうすれば覚えやすくなります。」(いちばん最後の「男」の発言)

男は名前に特別な意味はなく、その名前である必然性もないが、名前があれば、ものごとを整理しやすく、覚えやすくなるので便利だと考えている。

1：名前が不可欠であるとも、その人自身を表すものであるとも、言っていない。

2：正解

3：名前は不思議な力を持つとも、自分でつけたほうがいいとも、言っていない。

4：名前をつけるのは、猫ではなく、男がものごとを覚えやすくするためである。

- ・小説では、登場人物はだれか、「　　」はだれの発言なのかに気をつけて読もう。

息子は今、忍者に凝っている。サランラップの芯を刀にして、「し、し、しのびあし〜」と歌いながら、忍び足の練習に余念がない(注1)。

バキュバン(ワインの酸化を防ぐため、ボトル内を真空にする道具)をしゅしゅっとすばやく動かしたり、鏡の陰に隠れたりするのも、すべて「しゅぎょう」なんだそうだ。

あるとき、真剣な面持ちで、小さな折り紙を、ぱぱぱっと撒いていたので、「あ〜、しゅりけんね」と言ったら「ちがう！　①えさまいてるの！」という返事がかえってきた。

「えさ？」

「にんじゃは、えさまくでしょ」

「……いや、忍者がまくのは手裏剣じゃないかなあ」

「しゅりけんてなに」

「忍者に、敵が近づいたら、それでやっつけるの……じゃあ、えさってなに？」

「えさは、まくもの！」

えさをまく心やさしい忍者というのを想像すると、ちょっと微笑ましいような気もするが、やはりそうではないだろう。確かに、えさをまく動作と、忍者が手裏剣を投げる動作とは、よく似ている。つまり、あの動作そのものを、「えさをまく」というひとつらなりの言葉として、子どもは理解しているようだ。

公園でおじいさんが鳩に何かをぱぱぱっとやっている。それを見て私が「えさまいてるねえ」と言う。テレビでお姉さんがイルカに何かをぱっぱっとやっている。また私が「えさまいてるんだねえ」と言う。そこで息子は考える。「ふむ、こういうのをえさをまくというのか」。

ある日、忍者の番組をテレビで見ていたら、同じように何かを②aぱぱぱっとやっていた。②b「あ、えさをまいている！」……ということになるのだろう。

たまたま忍者だったから、この子が「えさをまく」とか「えさ」を③理解していないということがわかったけれど、これがイルカのぬいぐるみに対する行為だったら「えさまいてるの」と言われれば「ああ、そうなの。よくそんな言葉知ってるわねえ」となるところだ。

子どもが言葉をあやつっているように見えても、実は意味が対応していないことも多い。最初にその言葉と出会った状況を、わしづかみ(注2)にして、子どもは理解している。

(俵万智『ちいさな言葉』岩波書店)

(注1)余念がない：一生懸命にやっている

(注2)わしづかみ：大きく乱暴につかむこと

問1 ①えさまいてるのとあるが、息子は「えさをまく」をどんな行為と捉えているか。

1 小さい物を投げ散らすこと　　　　2 動物にえさを与えること

3 小さな折り紙で遊ぶこと　　　　　4 敵を攻撃すること

問2 ②aぱぱぱっとやっていた人、②b「あ、えさをまいている！」と言ったであろう人は、それ
ぞれだれか。

1 aは息子、bも息子　　　　　　　　2 aは息子、bは私

3 aは忍者、bは私　　　　　　　　　4 aは忍者、bは息子

問3 筆者はなぜ息子が③理解していないということがわかったのか。

1 自分が忍者になったつもりで折り紙を投げていることを、息子が「えさをまいている」と表現
したから。

2 自分が動物飼育員になったつもりでイルカのぬいぐるみにえさをまいていることを、息子が
「えさをまいている」と言ったから。

3 自分がイルカのぬいぐるみに手裏剣（しゅりけん）を投げていることを、息子が「えさをまいている」と言っ
たから。

4 公園でおじいさんが鳩にえさをまいているのを見て、息子が「えさをまいている」と言ったか
ら。

問4 この文章の内容として最も適切なものはどれか。

1 息子は最近、忍者にあこがれているが、実は忍者というものを間違って理解している。

2 手裏剣（しゅりけん）を投げるなど、忍者遊びに夢中になっている息子の姿を見ていると、微笑（ほほえ）ましい気持ち
になってくる。

3 子どもは親の話す言葉をよく聞いていて、親が気づかぬ間に一人で言葉を学習し、成長してい
るものだ。

4 息子の誤用から、子どもは状況を大きくつかんで言葉の意味を理解しようとするのだと気づい
た。

練習56 次の文章を読んで、後の問いに対する答えとして最もよいものを一つ選びなさい。

　人は、自分が育つなかで身につけた言葉を「ふつうの言葉」と思い込む傾向があります。いわば「刷り込み」です。それが基準になり、聞き慣れない言葉や表現を耳にすると「気になる」とか「①おかしい」と感じたりするんです。

　「奇妙だ」「乱れている」と指摘される言葉も、いつしか、社会的に「当然」と広く受け入れられるようになるケースは珍しくありません。その過程は、誤用→揺れ→慣用→正用という流れで整理できます。時計でたとえるなら、午前0時から3時ごろまでが誤用、6時ごろになると揺れの段階に達し、9時ごろは慣用、そして正午へと近づいていくイメージです。

　例えば「②耳ざわり」。本来は「耳障り」で、「目障り」などと同じく、否定語でした。それが「耳触り」として「耳触りがいい」といった表現が使われ出した。

　「手触り」や「舌触り」があるので、勘違いしたのが始まりかと思われますが、いまや誤用の域を超えて、揺れ段階にまで広がっているのではないでしょうか。いずれ慣用となり、正用へと向かうかもしれません。

　年配層には「気になる」「不快だ」と受け止められがちな言い方に、若い人たちがよく使うようになった「私って、○○じゃないですか」があります。通常は、相手もすでに知っていることを確認してから話を続ける話法です。

　ところが「私って、4月生まれじゃないですか」とか「遠距離恋愛じゃないですか」などと言われると、状況によっては、③そんなこと知るか、押しつけがましいぞ、といった抵抗感が生じます。

　でも見方を変えると、これは話者が相手に親密さを表現する話法と言えそうです。詰問調を避け、婉曲に「知ってますよね、知らなくても理解できますよね」という気持ちが込められていて、うちとけた感じが出せる。若者たちの感性に合うのでしょう。

　旧世代にはこれと対置できる話法があります。「釈迦に説法(注1)ですが」「すでにご承知のように」などと前置きしてから展開する話法です。ところが、こちらには「どうだ、知らないだろう」と、慇懃に(注2)相手を突き放すような感覚が隠されていたりするんです。

　世代間で相手との距離の取り方などにズレがあり、それが自分の許容範囲を超えたと感じるときに「奇妙だ」「乱れている」となるんです。

（井上史雄　朝日新聞2005年4月29日）

（注1）釈迦に説法：すでに深い知識を持っている人に向かって解説する、愚かな行為

（注2）慇懃に：礼儀正しく

問1 ①おかしいと感じるのはどんなときか。

1 幼いころから自分が聞いてきたものとずれているとき

2 社会的に当然と思われるものと違っているとき

3 子どもっぽさが残っているとき

4 いわゆる「刷り込み」表現と似た言葉を聞いたとき

問2 ②耳ざわりという言葉の使い方の変化を、正しく説明しているものはどれか。

1 舌触りのように「耳触り」もあると勘違いし、「耳ざわり」は否定的な意味で使われるようになった。

2 目障りのように「耳障り」もあると勘違いし、「耳ざわり」は肯定的な意味で使われるようになった。

3 本来「耳ざわり」は肯定的な意味だったが、勘違いから、否定的な意味の「耳障り」も使うようになった。

4 本来「耳ざわり」は否定的な意味だったが、勘違いから、肯定的な意味の「耳触り」も使うようになった。

問3 ③そんなこと知るか、押しつけがましいぞとあるが、そう感じるのはどんな状況の場合か。

1 相手が家族、友人なので、「そんなこと」を知っているのが当たり前の状況

2 相手とそれほど親しくないので、「そんなこと」を知らないのが当たり前の状況

3 「そんなこと」を知っていると恥ずかしいと感じられる状況

4 「そんなこと」をさっき話したばかりという状況

問4 「乱れている」と感じられる言葉について、筆者はどう言っているか。

1 「乱れている」と感じるかどうかは世代間で異なることを、若者は知るべきだ。

2 「乱れている」と感じたなら、自分の感覚を信じて表現の誤りを指摘したほうがいい。

3 「乱れている」と感じる言葉の変化は、不快に思う人が多いため、正用になりにくい。

4 「乱れている」と感じられる言葉も、時代とともに正用と認められていく場合がある。

⭐ **例題24**　次の文章を読んで、後の問いに対する答えとして最もよいものを一つ選びなさい。

　最近の小中学校の様子を取材して驚くのは、学級という子ども集団での人間関係の変わりようだ。

　1学級当たりの子どもの数は、小学校が平均28.1人、中学33.0人と、昔にくらべ縮んだ。にもかかわらず、クラス全体の一体感は希薄になる一方だと、先生たちはいう。

　小5、小6ともなると、運動のできる子、苦手な子、アニメ好きの子といった小グループに分かれ、違うグループの子との接触はほとんどなくなる。中学では、同じクラスで「あの子の名前何だっけ？」も珍しくない。

　友だちづきあいはおっかなびっくり(注1)だ。似た者同士のグループも安心できない。どう思われるか気にし、空気を読んでしゃべる。いつも誰かとつながっていないと不安。メールには30分以内に返信をする。小学生の半数以上が「仲間外れにされないよう話を合わせる」と答えたとの調査がある。その割合は5年前から5ポイント増えた。

　①小さな孤島で羽を寄せ合い、傷つくのを恐れる。学級や学校はいまやストレスいっぱいの空間かもしれない。我慢を重ねた感情はときに破裂し、暴力になり仲間や教師に向かう。グループ内では誰かに「いじられキャラ(注2)」を演じさせ、発散する。いじめにエスカレートしても、外からは見えにくい。

　のびのびとした人間関係を築く力はなぜ、こんなに弱ったのだろう。

　多くの教師や研究者が指摘するのが家族と地域社会の変容だ。兄弟、祖父母、近所のガキ大将、地域の大人。そうした異質な人とふれあう機会がめっきり減り、子どもは他者との関係のつくり方が未熟なまま、学級集団に放り込まれる。②様々な問題行動の背景を、こうとらえることもできよう。

　文部科学省は、学級の人数の標準を40人から35人へと30年ぶりに改め、数年かけて学級規模を今よりひと回り小さくする計画だ。それに合わせて、教員の定数も増やそうとしている。

　子ども一人ひとりに向き合う時間をもっと確保するため、先生の数は増やすべきだ。だが学級を小さくするだけでよいか。子どもが社会性を身につけられる場になるよう、教室に風を吹き込む必要がある。

　多様な存在と交わる中で、子どもは自己を肯定される経験を重ね、対人関係能力をきたえてゆくものだ。

　増えた先生を臨機応変に組みあわせ、1学級を複数担任にしたり、子の状況に応じて学級の人数を考えたり。学生や地域のボランティアが入り、子どもとの③斜めの関係を持ち込むことが有効だ。違う学年との交流授業や運動会といった行事も、大事にしたい。

　財源や教育効果をめぐって、少人数学級の議論が今後本格化する。どんな集団のあり方が子どもにとってよいかが、忘れてはならない視点だ。

（朝日新聞2010年10月3日）

（注1）おっかなびっくり：失敗を恐れて、こわごわ何かをすること　　（注2）いじられキャラ：仲間からからかわれる役割の人

問1　①小さな孤島で羽を寄せ合い、傷つくのを恐れるとはどういう意味か。

1　似た者同士の小グループを作り、メンバー同士いたわり合い、仲間外れをしないように気をつける。

2　クラスが少人数になった上に、ほかのクラスの人とは接触がないので、数少ない友だちを失わないように気を使う。

3　話の合う人と作った小グループのメンバーとしかつきあわず、その中で、仲間外れにされないように気を使う。

4　一人ひとりが孤立し、同じクラスの人の名前もわからないので、不安を感じ、必要以上に誰かとつながっていようとする。

問2　②様々な問題行動とは、何を指すか。

1　ストレス発散のために、仲間や教師に暴力をふるったり、仲間をいじめたりすること

2　異質な人とふれあうことを避けるが、接触したときには、けんかをしてしまうこと

3　ほかのグループの人と話を合わせようとして、ストレスをため、怒りを爆発させること

4　各グループがクラス全体を支配しようとして、グループ同士が対立すること

問3　③斜めの関係の例として最も適当なものはどれか。

1　子どもとその父親

2　子どもとそのクラスメイト

3　子どもとクラス担任の教師

4　子どもと近所の八百屋のおじさん

問4　この文章で筆者が最も言いたいことは何か。

1　小中学校の教室で起こっているいじめや暴力という問題に対し、文部科学省は無策である。早急にクラスサイズの縮小と教員の増員を実現し、教室に風を吹き込むべきだ。

2　学級において子どもたちは小グループに分かれ、同じグループ内の人間関係にもストレスを抱えている。このような変化は異質な人とふれあう機会が減ったことに起因する。

3　学校の問題の原因は、家族や地域社会の人間関係の変化にある。国は、学級規模や教員数だけでなく、子どもたちが様々な他者とふれあう機会についても考えるべきだ。

4　小中学校の問題の背景には、地域社会や家庭の変容がある。政府は学級規模を縮小する計画だが、それよりむしろ教員の数を増やして教室に斜めの関係を持ち込むべきだ。

キーワード：小中学校、学級、人間関係、他者との関係、対人関係能力
　→　小中学校の学級での人間関係について書かれた文章？

問1 に答える

①小さな孤島で羽を寄せ合い、傷つくのを恐れる。は、小中学生の様子を表した文である。
「比喩」に注目し「小さな孤島」「羽を寄せ合い」が何をたとえているのかを読み取る。

　　「小さな孤島で」＝「小グループに分かれ」
　　　　　　　　「違うグループの子との接触はほとんどなくなる」(第3段落)
　　「羽を寄せ合い」＝「誰かとつながっていないと不安」(第4段落)
　　「傷つくのを恐れる」＝「仲間外れ」にされることを恐れる (第4段落)。
1：「似た者同士のグループも安心できない」と書かれている。メンバー同士いたわり合うのではない。
2：「小さな孤島で」というのは、クラスが少人数だという意味ではない。また、ほかのクラスの
　　人との接触については書かれていない。
3：正解
4：一人ひとりが孤立するのではなく、小グループを作る。

問2 に答える
「②様々な問題行動の背景を、こうとらえることもできよう。」
「こう」と②様々な問題行動の指す内容を、さかのぼって追っていく。

> **第5段落**：我慢を重ねた感情は…暴力になり…いじめにエスカレート…　　　問題行動
> **第6段落**：疑問提示文：　　　　　　　　　　　　⇧
> 　「のびのびとした人間関係を築く力はなぜ、こんなに弱ったのだろう。」　　　問題行動
> **第7段落**：答え：…家族と地域社会の変容だ。…放り込まれる。　　　　　　の背景
> 　　　　　　　　　　　　　　　⇧
> 　　　②様々な問題行動の背景を、こうとらえることもできよう。

第6、7段落は「問題行動の背景」(＝なぜこんなに弱ったか)が述べられている。
「こんな」の指す、第5段落が「問題行動」である。

1：正解

2：異質な人とけんかをするとは書かれていない。

3：ほかのグループの人と話を合わせようとするとは書かれていない。

4：グループがクラス全体を支配しようとするとは書かれていない。また、グループ同士の対立が起こっているとは書かれていない。

問3 に答える

「学生や地域のボランティアが入り、子どもとの③斜めの関係を持ち込むことが有効だ。」

③斜めの関係とは、「子ども」と「学生や地域のボランティア」との関係である。

つまり、子どもとは直接の上下関係（＝先生や親など）や、横の関係（＝同級生など）にはない人である。この関係になっている例を選択肢から選ぶ。

1：父親は、子どもとは上下関係にある。　　2：クラスメイトは、学校内で横の関係にある。

3：クラス担任は、学校内で上下関係にある。　　4：正解

問4 に答える

段落ごとの内容をまとめる。

第1〜7段落：最近の子どもの集団に見られる人間関係の変化とその原因の分析

第8段落：　　学級規模を小さくし、教員の定数を増やす　＝　政府の対策案

第9段落：…先生の数は増やすべきだ。 だが 学級を小さくするだけでよいか。
‖　　　　　　　　　　　　　　　　　　　　‖
政府の対策に賛成　　　　（反語）いや、よくない←筆者の主張

第10段落：多様な人と関わらせることが対人関係能力向上のために必要

第11段落：対人関係能力向上のための具体案

第12段落：学級の人数だけでなく、集団の質にも目を向けた議論をすべきという主張

つまり、筆者は、政府の対策には賛成だが、それだけではなく、子どもに様々な人とふれあう機会を与えることも考えるべきだと述べている。

1：文部科学省は対策案を出していると書かれている。

2：筆者は原因を分析するだけでなく、これからどうすべきかを述べている。

3：正解

4：政府の対策案として教員の数を増やすと書かれている。

次の文章を読んで、後の問いに対する答えとして最もよいものを一つ選びなさい。

われわれはよく①世界ということばを使う。地球上の地域全体を、そうよぶとみんな考えている。

ところが仏教によると、「世」とは前世とか来世とかいうように、時間の一くぎりのことである。一方の「界」は境界などというように、一定の空間のことだ。

つまり世界とは、時間と空間を一まとめにした範囲をさすことばであったが、とくに時間をふくんでいることは、いま、とんと忘れられているのではないか。

また宇宙ということばも、広く使われる。この「宇」も建物を数えるときに使われるように、中国では一つの空間を示す。

そしてもう一つの「宙」は過去や未来を意味する。そこで宇宙ということばも、時間と空間の両方にまたがる範囲をあらわすことになる。ふつうは大空の果てまでの空間の広がりを宇宙というように思われているが、それはまちがいらしい。

どうもわれわれは②世界や宇宙から時間を追い出してしまっているが、そもそも人間をとりまく空間は、時間も重ね合わせたものだと考える方が正しい。

しかしそんなことは、教室で教えてもらえなかったように思う。むしろ時間と空間は、まったくあい対立し合うものだと教えられてきたのではなかろうか。

ところがこれは近代ヨーロッパの考えで、アジアでは二つは一体のものと認識していたのである。

それでは日本はどうだろう。日本語では時間を「とき」、空間を「ところ」という。じつは(ややこしい学問上の手続きは、いま省くが)、「とき」と「ところ」は仲間ことばで「同じ仲間で、少しちがったもの」を意味する仕組みの一つである。

いまの日本語がいつできたかは、残念ながらわからない。しかし三世紀ごろに始まるのではないかと、私は考える。つまり千七百年も前から日本は、インドや中国とまったく同じように時間と空間をひと組のものと考え、③それぞれが、相手なくしては存在しないと思っていたのである。

いま私たちは、世界的に物を見ようとか、宇宙的広がりが必要だという。その時、はたして過去はどうであり、未来はどうなっていくかを考え合わせながら、世界的に、また宇宙的に考えているだろうか。

現在のことばかり考えていたのでは、世界的でも宇宙的でもない。広い視野には、過去への観察や未来への希望が欠かせないのである。

（中西進『日本人こころの風景』創元社）

問1 ①世界ということばについて、本文の内容と合うものはどれか。

1　世界ということばは、本来「地球上の地域全体」を表していた。

2　仏教によると、世界ということばで「時間の一くぎり」という意味を表す。

3　西洋では、世界ということばで「時間と空間を一まとめにした範囲」を表す。

4　世界ということばは、本来、空間だけでなく時間も含む範囲を表していた。

問2 ②世界や宇宙から時間を追い出してしまっているのはなぜか。

1　近代ヨーロッパの影響を受けたから。

2　アジアの考え方をそのまま受け継いでいるから。

3　ヨーロッパでもアジアでもない、日本独自の考え方をしているから。

4　広い視野を持つ新しい考え方をしているから。

問3 ③それぞれとは、何を指すか。

1　インドと中国

2　世界と宇宙

3　過去と未来

4　時間と空間

問4 この文章で筆者が最も言いたいことは何か。

1　「世界的」「宇宙的」ということばは国や文化によって意味が違うということを、多くの人々に
　知ってほしい。

2　人々は「世界的」「宇宙的」ということばから見えるアジアとヨーロッパの考え方の差を意識す
　べきだ。

3　「世界的」「宇宙的」ということばを使うなら、空間だけでなく時間、つまり、過去や未来まで
　見る視野が必要だ。

4　過去を観察したり未来への希望を持ったりできるから、「世界的」「宇宙的」ということばをもっ
　と使ったほうがいい。

次の文章を読んで、後の問いに対する答えとして最もよいものを一つ選びなさい。

　子どもと大人の関係は、一般に、「いずれ大人になる」未成熟者と、「既に一人前」の成熟者との関係として捉えられる。しかし、子どもの異質性を、大人と水平に対峙（注1）させて考えるなら、それは「文化を異にする者」相互の関係ということになり、また、①垂直に置き並べるなら、それは「文化を先取る者」との関係ということになろう。子どもが「大人との差異」において「子ども」であってみれば、その差異をどう位置させるかで、彼らとの関係の取り方は変わってくることは自明であろう。（中略）

　いつの時代にも、子どもたちは、その時代の中心に位置する大人の文化を生きず、その異質性をあらわにして大人との差異を顕在化させてきた。しかし、その差異がおおらかに受け止められ、「子どもとはそんなもの」と②大人たちに許容されていた時代もあり、逆に、その差異に大人たちが過敏となって、「いまの子どもは」と嘆きの種にする時代があることも事実であろう。とすれば、この両者の違いが意味するものは何か。

　前者の場合、訪れる次代の方向が明確であり、変化の速度もまた緩慢であって、子どもたちが生きるであろう次の時代が予測可能であるため、大人たちは、次の文化を「先取りした」子どもらの言動を、おおらかに許容し得たのであろう。一方、変化の速度が人々の適応を上回るだけでなく、変化の方向も予測不能であって次に訪れるであろう近未来が不安視されるとき、子どもたちが示す大人と異なる一挙手一投足（注2）が人々を混乱と不安に陥れるのではないか。こんな時、大人たちによって「子ども」は「異星人」とされ、「何を仕出かすか分からないコミュニケーション不能の存在」として忌避（注3）され兼ねないのである。

　いま、子どもに対する忌避感情が高まりつつあるとすれば、そして、時にそれに対抗するかのように、子どもたちの「暴発」と見える言動が私たちを驚かせるとすれば、変化する時代の動きに大人たちが従い得なくなっていることの証しではないか。時々刻々、変化し続けるこの時代が、それを先取りする「子ども」たちと、確立した文化価値のなかで時代の要求する生産活動に従事する「大人」たちと、この両者の共存を従来になく③困難にしていると言えそうである。

（本田和子『それでも子どもは減っていく』筑摩書房）

(注1) 対峙：向かい合って立つこと

(注2) 一挙手一投足：細かい一つ一つの動作

(注3) 忌避：嫌って避けること

問1 ①垂直に置き並べるとは、何をどのようにすることか。

1　子どもと大人の関係を、どちらの文化が新しいかという図式で考えること

2　子どもと大人の関係を、どちらの文化が優れているかという図式で考えること

3　子どもの異質性を、大人との差異がどの程度か示す図式で考えること

4　子どもの異質性を、大人との差異がなぜ生じたか示す図式で考えること

問2 ②大人たちに許容されていた時代とあるが、大人が子どもの異質性を許容していたのはなぜか。

1　変化の方向が不明確な時代だったから。

2　来るべき時代が予測可能な時代だったから。

3　コミュニケーション不足の時代だったから。

4　子どもと大人の差異に気づいていない時代だったから。

問3 ③困難にしているとあるが、何が「困難にしている」のか。

1　子どもに対する忌避感情

2　「暴発」と見える言動

3　確立した文化価値

4　変化し続ける時代

問4 この文章で筆者が最も言いたいことは何か。

1　子どもは次代に生き、文化を先取る者であるのだから、大人は子どもの異質性を忌避せず、おおらかに許容するべきだと考えられる。

2　いま、子どもたちが大人に対して「暴発」しているのは、大人の生きている文化の価値に反発を感じている証拠であると考えられる。

3　いま、大人と子どもの関係が難しくなっているのは、時代の急激な変化に大人がついていけず、不安を感じているためだと考えられる。

4　子どもと大人の関係は時代によって変わるものだから、時には大人が子どもを異星人のように感じてしまうのもしかたのないことだと考えられる。

練習59　次の文章を読んで、後の問いに対する答えとして最もよいものを一つ選びなさい。

　携帯電話を買うというのは、本当は携帯電話を買っているのではなく、人とのコミュニケーションを買っていることになる。

　誰かが誰かと話すたびに、個人の懐（ふところ）から電話会社へと金が流れているのだ。普通の電話だって同じことだけれど、あれはまだ場所の制約があった。携帯電話をみんなが持つようになって、いつでもどこでも誰とでも、話ができるようになった。

　これは確かに便利なようだけれど、別の面から見れば、いつでもどこでも誰とでも、話をすることに金がかかるようになったということだ。

　その携帯電話にメールだのカメラだのインターネットの機能がついて、便利になったと喜んでいるが、それも見方を変えれば、個人から金を集める方法がより巧妙になったということ。

　道端に綺麗（きれい）な花が咲いていた。昔なら家に帰って「母ちゃん、花が咲いてたよ」と話すところだけど、今の子は携帯で撮って送信する。

　道に迷っても、誰かに聞かずに、携帯のインターネットで調べる。

　横断歩道を渡っているときも、喫茶店で誰かと話をしているときですら、携帯電話にかじりついている若者がどれだけ多いことか。①携帯が脳味噌（のうみそ）の一部になってしまったんじゃないかというくらい、あらゆることに携帯を使っている。

　そしてそのたびに、どこかの誰かのところに、世界中から金が集まっていく。その誰かは、笑いが止まらないはずだ。

　次期首相を誰にするかなんて物騒な相談をしている政治家であろうが、夜更けのコンビニの前に座り込んでメールをしているガキであろうが、どんなヤツでも構わない。とにかく携帯を使っている人間を見かけるたびに、ほくそ笑んでいる（注1）に違いない。言葉を発するたびに漏れている息が、②札束に見えてるんじゃないか。（中略）

　そういうことに、気づいていない人が多すぎる。

　携帯で生活が便利になったといったって、ロクに意味のあるコミュニケーションなんかしていないのだ。「今日のデートは楽しかったです」とか「こんな大きな犬のウンコを踏んでしまいました」とかなんとか。

　インターネットにしても、まともに使いこなしている人間がどれだけいるか。掲示板に人の悪口を書いたり、読んだり。俺みたいにスケベな写真見たり。そうかと思えば、わけのわからないインチキ通販に引っかかったり。

　ほとんど意味のない会話やメールをしたり、情報のやりとりをするために、毎回、無駄な金を払わされ続けていることに気づいていない。

③牧場に囲われて、シーズンごとに毛を刈られる羊みたいなものだ。

そういうことに目覚めて、「俺たちは羊じゃない。携帯電話は絶対に使わないぞ」と宣言する若者が、どうして出てこないのか。通信機械なんて他にいくらでもあるだろうに。

教育基本法を改正するなら、国を愛する心を育てるなんて抽象的な話をするよりも、携帯電話のダークサイドを子供に教えることの方が大事なんじゃないか。

（北野武『全思考』幻冬舎）

(注1) ほくそ笑んでいる：うまくいったと満足して一人でひそかに笑っている

問1 ①携帯が脳味噌の一部になってしまったとはどういう意味か。

1　携帯電話を使わないとコミュニケーションも判断も何もできない。

2　携帯電話の機能の使い方がわからず、いつも頭を抱えている。

3　携帯電話が体の一部のようになり、持っていないと落ち着かない。

4　携帯電話のことばかり考えていて、ほかのことが考えられない。

問2 だれの目に②札束に見えてるのか。

1　物騒な相談をしている政治家

2　コンビニの前に座り込んでいるガキ

3　電話会社の関係者

4　一般の人々

問3 ③牧場に囲われて、シーズンごとに毛を刈られる羊とはどんな人のことか。

1　高いお金を払ってでも安全な環境を買おうとする用心深い人

2　ほかの人に守られて、身ぎれいにしてもらっている幸せな人

3　外に出ず、柵の中でのんきに暮らしている世間知らずな人

4　快適な生活をしているつもりで、所有物を奪われている哀れな人

問4 この文章で筆者が最も言いたいことは何か。

1　我々は便利な携帯電話を手に入れたが、その機能を十分に使いこなしているとはいえず、意味のないコミュニケーションにしか役立てていないのはもったいないことである。

2　我々は便利な道具を手に入れたと喜んでいるが、携帯電話に支配され、コミュニケーションのために無駄にお金を奪われていることに気づいていない。

3　携帯電話やインターネットによって我々のコミュニケーションが希薄になっているだけでなく、犯罪にまで巻き込まれる危険性があることを子供に教える必要がある。

4　現代社会はコミュニケーションは買う時代だが、その内容にはくだらないことが多いので、本当に買う必要があるコミュニケーションかどうか選別すべきである。

4. 統合理解

◆統合理解は、あるテーマについて書かれた二つ以上の文章を読んで、それらを比較・統合しながら理解できるかを問う問題である。第1部の「評論・解説・エッセイなど」、第2部の「広告・お知らせ・説明書きなど」のどちらのタイプの文章も出題される可能性がある。

統合理解の問題は、問題文の中に大事な情報がある。必ずチェックしよう。

例

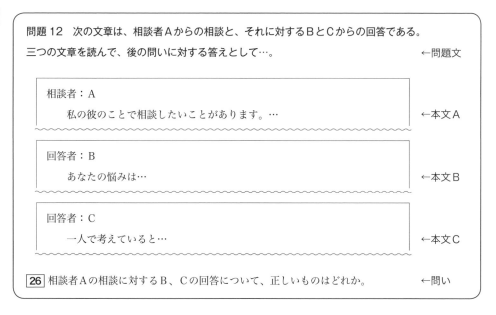

これは、相談者Aの文章から相談内容をつかみ、回答者B、Cの考えを読み取る問題である。

◆問いに答えるために、次の手順で考えよう
・問題文から、複数の本文(本文A、本文B、…)がそれぞれどのような文章かを知る。
・問いを読み、読み取るべきことを知る。
・本文を読む。

＊必要な情報がどの本文にあるか
＊複数の本文の関係はどうなっているか
　　共通している点は何か
　　違いはどこにあるか　　　などに注目する。

☆ 例題25　次のＡとＢは、インターネットで「サマータイム」を検索した結果、出て来た文章である。ＡとＢの両方を読んで、後の問いに対する答えとして最もよいものを一つ選びなさい。

Ａ

> 　サマータイムとは、夏に時計の針を一時間進め、明るい時間を有効に使おうという制度で、欧米など世界70か国以上が実施している。日本でも終戦直後に実施されたが、不評のため四年で廃止となった。近年、このサマータイムが再注目されている。サマータイムによって生じる余暇時間を、家族とのきずなを強めるなどライフスタイルを見直すための機会にしようというのが理由である。しかし、労働時間規制が緩い日本では、逆にサマータイムが労働時間の延長を促す危険があるのではないか。始業が一時間早まるだけで、終業時間は変わらない、などということが十分起こり得るであろう。欧州は労働時間を法律で厳しく規制している。このような社会的条件があって初めて、サマータイムによる「明るい余暇時間」が実現できるのだと言えよう。

Ｂ

> 　サマータイムとは、夏季に時計を１時間早めることで太陽光線を有効に活用しようという制度である。先進国の多くが実施しており、日本でもGHQの指令で1949年から４年間実施された。最近、このサマータイム制度に注目し、再導入しようという声が上がっている。その主な理由は余暇時間の創出である。さらに、冷房時間や照明時間の短縮といった省エネルギー効果も期待されている。2005年に北海道で試験的に導入され、一定の効果が確認されたが、一方で、「生活リズムが崩れる」「日本の風土と合わない」といった反対意見も出された。また、欧州と比べて緯度が低く、日の入りの早い日本では、省エネルギー効果は小さいという批判もある。

問1 AとBのどちらにも書かれている内容はどれか。

1 日本でサマータイムの実施を始めた年

2 サマータイムを実施している国の数

3 日本でサマータイムが実施された年数

4 日本でサマータイムが廃止された理由

問2 サマータイムに再び注目する理由は何か。

1 明るい時間が長くなることで労働時間も長くなり、生産性が上がることが期待されるから。

2 省エネルギー効果も期待でき、余暇時間が増えることでライフスタイルを見直す機会にもなるから。

3 太陽光線を有効に使えば、新しいエネルギーを作り出すことができ、省エネルギー効果が上がるから。

4 時計を1時間早めれば1日の生活時間が長くなり、ゆっくり働いても、多くの仕事ができるから。

問3 サマータイムの日本への導入について、Aの筆者とBの筆者はどのような立場を取っているか。

1 AもBもともに明確にしていない。

2 AもBもともに批判的である。

3 Aは批判的であるが、Bは明確にしていない。

4 Aは明確にしていないが、Bは批判的である。

どのような文章か

ＡＢともインターネットにある文章。サマータイムについて書かれている。

⬚問1⬚ に答える

ＡとＢに共通の情報を探す問題

まず選択肢から探すべき情報をつかみ、本文にあるかどうか探す。

1 「実施を始めた年」　　　Ｂにある

2 「実施している国の数」　Ａにある

3 「実施された年数」　　　ＡＢにある

4 「廃止された理由」　　　Ａにある

3：正解

⬚問2⬚ に答える

ＡとＢの情報を統合する問題（ＡとＢの情報を合わせる）

ＡＢから「導入しようとする理由」を探し、それを合わせる。

Ａ：サマータイムによって生じる余暇時間を、家族とのきずなを強めるなどライフスタイルを見直すための機会にしようというのが理由である。

Ｂ：その主な理由は余暇時間の創出である。 さらに 、冷房時間や照明時間の短縮といった省エネルギー効果も期待されている。

1：労働時間が長くなることは期待されていない。また、生産性が上がる、とは書かれていない。

2：正解

3：新しいエネルギーを作り出すとは書かれていない。

4：多くの仕事ができるとは書かれていない。

問3 に答える
ＡとＢを比較する問題（ＡとＢの筆者の立場の違いを読み取る）
ＡＢからサマータイムに対する意見を探し、それを比べる。

A：「…危険があるのではないか。」「…起こり得るであろう。」←**筆者の意見**（批判）

B：「反対意見も出された。」「という批判もある。」←**他者の意見の紹介**
　　　　　　　　　　　　　　　　　　　　　筆者の意見は書かれていない

Ａ＝批判的　　　Ｂ＝どちらでもない
3：正解

☆ 例題26　サイさんは10か月前にパソコンを購入し、使い始めた。通常の状態で適切に使用していたのにもかかわらず、故障してしまった。次のAはパソコンの取扱説明書の一部、Bはパソコンの保証書である。AとBの両方を読んで、後の問いに対する答えとして最もよいものを一つ選びなさい。

A

保証期間内のパソコンの故障や修理のご相談

①故障品をお手元にご用意ください。

②保証書をお手元にご用意ください。

　　　保証期間内であっても以下の場合、有料修理になることがあります。

　　　　※保証書がない場合。

　　　　※保証書に必要事項の記入がない場合。

　　　　※使用上の誤り、または火災、地震、水害その他の天災による故障、破損の場合。

③パソコン専用修理相談窓口へお電話ください。修理が必要と認められた場合には、
　宅配業者がご自宅へお伺いし、故障品の梱包作業やお引き取りを無料で行います。

通話料無料　0120-123-12　　受付時間：9：00〜17：00／365日

携帯電話、ＰＨＳからはこちら　03-123-2222

　なお、修理に出すことが決まった場合には、宅配業者に渡す前に、ＣＤ／ＤＶＤなどの媒体にデータのバックアップをお取りください。修理中にハードディスク内に記憶されたお客様データが消失する場合があります。弊社ではいかなる作業の場合においても、お客様データの保証はいたしかねます。

B

HONEY　Computer　保証書

お客様保管

引取修理

品名　ＡＢＣ－DEFG/HI

型名　ＡＢＣ　　　　製造番号LMN12345

最初に電源が入れられたときに本製品内に
記録される「保証開始日」をご確認のうえ、
下記「保証開始日」欄に必ずご記入願いま
す。保証開始日の記入がない場合、保証期
間中であっても有料修理となります。

販売店住所・店名・電話番号

ＡＢＣ電器　℡ 03-333-4444

神奈川県横浜市３－３－３　第一港ビル１０８

HONEY　Computer

〒160-1111東京都西新宿１－１－１

　03-123-1111（代表番号）

保証開始日	保証期間
2010 年　*12* 月 *27* 日	保証開始日より１年間

（お買い上げ日記入欄　　　*2010* 年　　　*12* 月　　　*26* 日）

・本保証書は、保証期間中、本製品を無料で修理することをお約束するものです。

・保証期間内の修理は弊社パソコン専用修理相談窓口、保証期間終了後はお買い上げの販売店
　へお問い合わせください。

問1 サイさんは壊れたパソコンの修理を頼もうと思っている。携帯電話からかける修理相談窓口
の電話番号はどれか。

1　0120-123-12　　　　　　　　2　03-123-2222

3　03-333-4444　　　　　　　　4　03-123-1111

問2 修理相談窓口に電話する前に必要な行動はどれか。

1　パソコンを箱に入れ、いつでも運べるようにする。

2　パソコンを用意し、保証書に必要事項が記入されているか確認する。

3　パソコンを用意し、保証書のコピーを取っておく。

4　データのバックアップを取っておく。

問3 費用はどうなるか。

1 　購入者が修理代も宅配便の料金も払う。

2 　購入者が修理代を払うが、宅配便の料金は払わない。

3 　購入者が宅配便の料金を払うが、修理代は払わない。

4 　購入者は修理代、宅配便の料金ともに払わない。

どのような文章か

問題文に、使用を始めて10か月のパソコンが故障したと書かれている。A、Bはその修理を依頼するときに読む文章である。

A：『パソコンの取扱説明書』の保証期間内のパソコンの故障・修理について書かれた部分

B：「保証書」＝パソコンの品質を保証する書類

問1 に答える

AとBの情報を統合する問題（AとBの情報を合わせる）

10か月前に購入して使い始めたパソコンの修理を頼む場合に「携帯電話」からかける修理相談窓口の電話番号を、AとBから探す。

> B：保証期間：保証開始日より1年間　→　10か月は保証期間内
> A：③パソコン専用修理相談窓口へ…
> 　　携帯電話、…はこちら　03-123-2222

1：携帯電話からはこの番号にかけられない。

2：正解

3：保証期間内なので、販売店に電話するのではない。

4：パソコンの製造メーカーの代表番号に電話するのではない。

問2 に答える

AとBのどちらかに情報が書かれている問題

ＡＢから「電話する前に何をしておくか」を探す。

Aを見る

①故障品をお手元にご用意ください。

②保証書をお手元にご用意ください。

…以下の場合、有料修理になることがあります。

※保証書に必要事項の記入がない場合。

つまり、必要事項が記入されているか確認する。

1：自分で箱に入れる必要はない。

2：正解

3：保証書のコピーを取るとは書かれていない。

4：データのバックアップを取るのは、修理に出すことが決まってからでいい。

問3 に答える

AとBを統合する問題（AとBの情報を合わせる）

ＡＢから「修理代、宅配便の料金はだれが払うか」という情報を探す。

修理代

> Ｂ：…保証期間中、…無料で修理する…

宅配便の料金

ＡＢの中から、「宅配、料金」という言葉（または言い換え）を探す。

> Ａ：③…宅配業者がご自宅へ…故障品の梱包作業やお引き取りを無料で行います。
> ‖
> 料金無料

4：正解

練習60　次の文章は、ある電気ポット（電気で湯を沸かす道具）を買った人がインターネットの掲示板に書いた評価である。三つの文章を読んで、後の問いに対する答えとして最もよいものを一つ選びなさい。

評価者A

　初めて電気ポットを買いました。以前は朝、ガスでお湯を沸かしていたのですが、出かけた後で、火をきちんと消したかどうか不安になることがありました。でも、この電気ポットなら自動的に消えるので安心です。お湯もびっくりするぐらい早く沸くし、値段もお手頃だし、光熱費の節約にもなるし、とても満足しています。

評価者B

　当初はエスール社のポットを買おうと思っていましたが、値段につられてこちらにしました。お湯を沸かす時間が短くて、とてもいいと思いました。使い始めてからしばらくは、お湯にプラスチックのにおいがして、気になりましたが、3回ぐらい沸かしてからは特に気にならなくなりました。でも、においや味に敏感な方は、お使いにならないほうがいいと思います。

評価者C

　お湯が沸くまでの時間は2〜3分で、あっという間です。また、電気のコードがポットではなく台座に付いているので、沸いたお湯を安全に注ぐことができます。それから、ポットの横の透明部分から内部の水量がチェックできます。これ、意外と便利な仕組みです。でも、何と言っても最大の特徴は価格が安いことで、いい買い物をしたと思っています。

　ただ、ほかの方も書いているとおり、プラスチック臭が少しありました（私はあまり気になりませんでしたが）。それより、注ぎ口にフタがなく、誤って転倒させたら大やけどをするおそれがありますから、小さなお子様がいるご家庭には向かないと思います。この点はメーカーに改善してほしいです。あと、容量が800ミリリットルなので、大人数で使うにはちょっと少ないかもしれません。

問1 このポットの長所としてＡＢＣがともに挙げているものはどれか。

1　ガスと比べて、光熱費が節約できる。

2　値段が安く、また、湯が沸く時間もとても早い。

3　コードが台座に付いていて、湯を注ぐとき安全である。

4　内部の水の量が確認でき、また、大きさもちょうどいい。

問2 このポットの欠点は何か。

1　プラスチック製で安っぽく見える。また、プラスチックのにおいも気になる。

2　他社のポットと比べて電気代がかかる。また、消したかどうかわかりにくい。

3　転倒すると湯がこぼれる。また、子どもには使い方が難しい。

4　初めはプラスチック臭がする。また、注ぎ口にフタがなく、倒すと危ない。

問3 ＡとＢとＣはそれぞれこのポットについて、どう考えているか。

1　Ａは満足しているが、Ｂは満足していない。Ｃは満足だが、問題点も指摘している。

2　ＡとＢは満足しているが、Ｃはあまり満足しておらず、すすめられないと述べている。

3　ＡＢＣとも満足しているが、ＢとＣはある条件の人にはすすめられないと述べている。

4　ＡＢＣとも問題点を指摘しており、メーカーに改善してほしいと望んでいる。

練習61　ホウカイさん、高橋さん、マリアさんの３人は忘年会をしようとしている。次のＡとＢは、３人の間でやり取りしたメールの文面である。ＡとＢの両方を読んで、後の問いに対する答えとして最もよいものを一つ選びなさい。

A

差出人：ホウカイ
宛先：マリア；高橋
件名：Re:［忘年会の件］

マリア様　高橋様

マリアさん、メールありがとうございます。
３人の忘年会、いいですね。是非やりましょう。
私の予定ですが、12月20日から22日まで、
仕事でタイへ行っていますので、23日以降にお願いします。
それから28日は会社の忘年会があります。
それ以外は、いつでも結構です。
場所は、横浜の中華街はどうでしょうか。
友達がアルバイトをしている店があります。
「桃の花」という店で、１割引きにしてくれるそうです。
友達はコウさんという人なんですが、マリアさん、覚えていますか。
一度会ったことありますよね。
もし、お二人がそこでよければ、予約します。
では、楽しみにしています。
ホウカイ

P.S.：マリアさん、以前にお貸しした『冬のソナチネ』のＤＶＤを忘年会の日に持って来ていただけますか。会社の人が借りたいと言うので。

B

差出人：高橋
宛先：マリア；ホウカイ
件名：Re:［忘年会の件］

マリア様　ホウカイ様

マリアさん、お誘い、ありがとうございます。忘年会、楽しみです。
みんな忙しくてなかなか会えませんね。

私も、このところ、サークル活動が忙しくて、
なかなか時間が取れません。実は来月、コンサートを開きます。
チケットを差し上げますので、よかったら来てください。

さて、忘年会の日にちの件、
私は、24日から27日まではちょっと難しいですが、
それ以外は大丈夫です。
あ、でも、マリアさんは、30日からスキーでしたね。
あんまり、日にちがありませんね。

それから場所ですが、中華街、大賛成です。

では、お会いするのを楽しみにしています。
高橋

問1 レストラン「桃の花」が候補になっているのは、なぜか。

1 ホウカイさんが行って、おいしかったから。

2 高橋さんの友達が働いていて、1割引きから。

3 ホウカイさんの友達が働いていて、1割引きだから。

4 高橋さんが強くすすめているから。

問2 マリアさんは何をしなければならないか。

1 「桃の花」に電話をして店を予約する。

2 コウさんに連絡して、店を予約する。

3 高橋さんのコンサートの切符を買う。

4 ホウカイさんに借りたDVDを忘年会当日に返す。

問3 忘年会の日として可能なのはいつか。

1 22日と28日

2 22日と30日

3 23日と24日

4 23日と29日

練習62　次のＡとＢは、それぞれ別の新聞の投書欄に載った「現在の若者」に関する文章である。ＡとＢの両方を読んで、後の問いに対する答えとして最もよいものを一つ選びなさい。

A

　今、日本では若者の海外旅行離れが顕著になっているという。あるデータによると、2000年と2006年の日本人の出国率を比べた場合、20〜24歳の男性は12.4％から11.5％、女性は27.4％から22.5％と７年間で大きく減少しているそうだ。これは経済の低迷のせいもあろうが、最も大きな要因はITの普及にあるのではないか。以前の若者は、経験と刺激を求めて海外へと出かけて行った。だがインターネットの急速な普及で、世界中の情報や品物、そして娯楽や「体験」さえも、家で手に入る時代になった。今の若者にとって現実の海外旅行は「大金をかけてわざわざ苦労をしに行く」だけの、めんどうで無駄なことに過ぎないのだろう。海外旅行だけでなく、車の購入数も減少傾向にある。会社帰りに上司や同僚と一杯、といった付き合い酒も減り、代わりに「宅飲み」と呼ばれる自宅での飲酒が人気だそうだ。若者の関心は「外」に向かなくなりつつある。だが、はたしてそれは健全な社会と言えるだろうか。

（平成新聞　投書欄）

B

　最近「今の若者は消費欲がない」との意見をよく聞く。車や海外旅行への関心の低さをことさらに取り上げ、若者の「外」への無関心さを大げさに嘆くような論調である。しかし、考えてみれば、なぜ皆がこぞって海外へ行きたがらねばならないのか。以前の若者は、車や海外旅行への消費をある種のステータスシンボルと考えていたように思う。車や海外旅行は経済的成功のシンボルであり、だれも彼もが無理をしてでもそれらを手に入れようと背伸びをしていた時代だった。だが、バブル経済の崩壊によって、日本人はシンボルに消費することのむなしさを知ったのだ。そして自分にとって真に心地よいこと、必要なものを求めるようになったのである。これは「退化」ではなく、ある種の「成熟」であろうと私は思う。

（毎朝新聞　投書欄）

問1 AとBのどちらにも書かれている内容はどれか。

1 若者の海外旅行に関する統計資料

2 インターネットの普及率

3 若者の消費欲が低下している理由

4 日本経済が悪化している理由

問2 若者の海外旅行離れの原因について、Aの筆者とBの筆者はどう述べているか。

1 AもBも経済的な問題が主な原因であると述べている。

2 AはITの普及に主な原因があると述べているが、Bは消費に対する考えが変わったからだと述べている。

3 Aは若者の関心が外に向かなくなったからだと述べているが、Bは若者が無気力になっているからだと述べている。

4 Aは若者にめんどうなことを嫌う傾向があるからだと述べているが、Bは若者に海外に憧れる気持ちがなくなったからだと述べている。

問3 現在の若者について、Aの筆者とBの筆者はどのような立場を取っているか。

1 AもBもともに肯定的である。

2 AもBもともに批判的である。

3 Aは肯定的であるが、Bは批判的である。

4 Aは批判的であるが、Bは肯定的である。

練習63　キム・スヨンさんは、サクラ不動産とアパートの賃貸契約を結ぶことになった。事前に「賃貸借契約書」のコピーをもらったが、理解できないところがあるので、インターネットで情報を調べた。次のAは契約書コピーの一部、BとCはインターネットで得た情報である。A、B、Cを読んで、後の問いに対する答えとして最もよいものを一つ選びなさい。

A

賃貸借契約書

貸主　サクラ不動産（以下、「甲」という。）及び借主　キム・スヨン（以下、「乙」という。）、乙の連帯保証人　山田一郎（以下、「丙」という。）は、本日、以下のとおり賃貸借契約を締結した。

（契約の締結）

第1条　甲は、別紙目録記載のサクラアパート301号室（以下「物件」という）を乙に賃貸し、乙は、これを賃借することに承諾する。

（契約期間）

第2条　賃貸借期間は、平成23年3月1日より2年間とする。

2　本賃貸借契約期間満了のときは更新できるものとする。

（賃料および共益費）

第3条　賃料は1か月金70,000円、共益費は1か月金4,000円とし、乙は毎月末日までに翌月分の賃料及び共益費を甲の指定する銀行口座に振り込んで支払う。

（敷金）

第4条　乙は、甲に対し、本契約締結と同時に敷金として金140,000円を支払う。

（契約の解除）

第5条　甲は、乙が次に掲げる義務に違反した場合において、甲が相当の期間を定めて当該義務の履行を催告したにもかかわらず、その期間内に当該義務が履行されないときは、本契約を解除することができる。

一　第3条に規定する賃料支払義務

二　第3条に規定する共益費支払義務

（解約）

第6条　甲又は乙が、本賃貸借契約を解約するときは、相手方に対し前もって解約の申し入れをしなければならない。この場合、甲が解約の申し入れをする場合には6か月前にしなければならず、乙が解約の申し入れをする場合には2か月前にしなければならない。

B

> **契約書にサインする前に以下の項目を確認しよう**
>
> □ ①契約期間　　　　　　　　□ ②家賃の値上げ
>
> □ ③家賃の金額・支払い方法　□ ④敷金の金額
>
> □ ⑤更新料　　　　　　　　　□ ⑥禁止事項
>
> □ ⑦同居人の追加　　　　　　□ ⑧解約の方法

C

> ## 賃貸契約Q＆A
>
> ### Q1　敷金って何？
>
> 敷金は、部屋の契約後、解約して引っ越すときまで貸主に預けておくお金で、家賃2か月分が一般的です。家賃の滞納、入居者負担で部屋の修理をするときに、ここから引かれますが、基本的には戻ってくるお金です。
>
> ### Q2　途中で解約したいときは？
>
> 普通は1～2か月前までに貸主（または管理会社）に知らせる義務があります。契約書をよく読むこと。もし1か月前までと書いてあれば、1か月前までに申し入れると、すぐに解約できます。それより後になってからの申し入れでは、1か月分の賃料をプラスして支払うことになります。

問1 Bのチェックリストを見て、Aの契約書にそれが書いてあるかどうか確認している。Aに書いてあるのは、Bの①～⑧のうちどの項目か。

1 ①②③④

2 ①③④⑧

3 ①④⑦⑧

4 ①③⑤⑦

問2 契約書によると、140,000円支払うことになっているが、それは、どういうお金か。

1 前払いしなければならない入居月とその翌月の家賃

2 入居月の家賃と共益費を合わせたお金

3 契約するときに貸主に預けておくが、基本的には戻ってくるお金

4 家賃1か月分、共益費、銀行振込の振込料を合わせたお金

問3 キム・スヨンさんが契約期間中にサクラアパートを出たくなった場合、どうすればいいか。

1 契約期間が終わるまで解約できないので、引っ越しても2年間は家賃を払い続ける。

2 退居する日の1か月前までにサクラ不動産に知らせる。

3 退居する日の2か月前までにサクラ不動産に知らせる。

4 退居する日の6か月前までにサクラ不動産に知らせる。

◆情報検索は、広告、パンフレット、お知らせ、情報誌、ビジネス文書などの実用的な文章(情報素材)の中から、必要な情報を探し出す問題である。「第2部　広告・お知らせ・説明書きなど」で学んだことを生かして読もう。

情報検索の問題では、本文(情報素材)の前に、問題文と問い、選択肢がある。
問題文を読んで、どのような文章かチェックしよう。

例

| 問題13　次はある大学で応募できる奨学金のリストである。下の問いに…。 | ←問題文 |

33　インドネシア出身で農学部2年生の男子学生、アリ君(20歳)が応募出来る奨学金はいくつあるか。 ←問い

　　1　2つ
　　2　3つ
　　3　4つ ←選択肢
　　4　5つ

募集中の奨学金リスト

	奨学金名	月額	支給期間	対象	
1	朝夕奨学会	大学院 ¥80,000	2年まで	タイ・インドネシア出身者。	←本文
2	大友国際	大学院 ¥100,000	2年間	アジア諸国出身者。	

◆問いに答えるために、次の手順で考えよう。
　・問題文からどんな文章かを知る。
　・問いと選択肢から探すべき情報を知る。
　・問いと選択肢にある言葉をキーワードにして本文から答えを探す。

⭐ 例題27　右のページは、さくら会館にある施設（ホール、練習室、会議室）の申込方法の説明である。下の問いに対する答えとして最もよいものを一つ選びなさい。

問1　12月7日に使用する会議室の抽選申込をするには、どうしたらいいか。

1　6月1日にさくら会館へ行って、抽選に参加する。

2　9月1日にさくら会館へ行って、抽選に参加する。

3　8月28日から9月6日の間にさくら会館のホームページで抽選を申し込む。

4　8月22日から31日の間にさくら会館のホームページで抽選を申し込む。

問2　ホールを12月7日に使うにはどうすればいいか。今日は6月5日である。

1　7月1日の午後2時までにさくら会館へ行き、利用申込の抽選に参加する。

2　インターネットを使って、さくら会館ホール12月7日の一般申込をする。

3　さくら会館ホールの空き状況を調べ、12月7日が空いていたら一般申込をする。

4　8月下旬にさくら会館のホームページでインターネット抽選申込をする。

さくら会館の施設お申込方法

・さくら会館には、ホール（定員150名、ピアノあり）、練習室（定員20名、ピアノあり）、会議室（定員30名）の３つの施設があります。

・各施設とも**抽選**により利用申込を受け付けます。

・抽選日を過ぎた場合でも、空き施設があれば、先着順に**一般申込**を受け付けます。

１．抽選による利用申込

★抽選日

毎月１日に、１か月分の抽選をまとめて行います。

○**ホール**：【使用日の６か月前（８月使用の場合、２月１日）】会館での抽選

○**練習室**：【使用日の３か月前（８月使用の場合、５月１日）】会館での抽選

○**会議室**：【使用日の３か月前（８月使用の場合、５月１日）】インターネット抽選

★抽選申込方法

○**ホール**：抽選日の午後２時までに、さくら会館へ直接ご来館ください。

○**練習室**：抽選日の午前10時までに、さくら会館へ直接ご来館ください。

○**会議室**：抽選日の10日前から抽選日前日までの間に、さくら会館ホームページでインターネット抽選申込をしてください。抽選結果は、抽選日の昼12時から同月20日までホームページ上に掲示します。

２．一般申込（抽選後の空き施設についての利用申込）

抽選後の一般申込は、全施設ともさくら会館にて受け付けます（インターネットでは受け付けません）。各施設の空き状況は、さくら会館ホームページでご確認いただけます。

３．使用料の支払い

抽選申込の場合は抽選日当日から同月20日までに、一般申込の場合は申込日から５日以内にお支払いください。

どのような文章か

「施設 (ホール、練習室、会議室) の申込方法」の説明

[問1] に答える

問い：使用日12月7日　会議室の抽選申込方法は？

選択肢：6月？　8月？　9月？

　　　　会館へ行く？　ホームページ？

◇項目を見る

　→「1．抽選による利用申込」の「★抽選日」「○会議室」と「★抽選申込方法」「○会議室」を見る。

◇下線部に注目する

　★抽選日

　　毎月1日に、1か月分の抽選をまとめて行います。

　○会議室：【使用日の3か月前 (8月使用の場合、5月1日)】インターネット抽選

　★抽選申込方法

　○会議室：抽選日の10日前から抽選日前日までの間に、さくら会館ホームページでインターネット抽選申込をしてください。

12月7日使用の場合、抽選日は9月1日である。

その10日前 (8月22日) から前日 (8月31日) までに申し込めばよい。

1：抽選日は6月1日ではない。

2：さくら会館での抽選ではない。

3：抽選日は使用日の3か月前の日ではない。

4：正解

<u>問 2</u> に答える

問い：使用日12月7日　ホールの申込方法は？　今日は6月5日

選択肢：一般申込？　会館で抽選？　インターネット抽選？

　　　　7月？　8月？

◇項目を見る

　→「1．抽選による利用申込」の「★抽選日」「○ホール」を見る。

　　○ホール：【使用日の6か月前（8月使用の場合、2月1日）】会館での抽選

12月7日使用の場合、抽選日は6月1日だが、今日は6月5日である。

　→もう終わっているので、抽選には申し込めない。

　→「2．一般申込（抽選後の空き施設についての利用申込）」を見る。

　　…全施設ともさくら会館にて受け付けます（インターネットでは受け付けません）。

　　各施設の空き状況は、さくら会館ホームページでご確認いただけます。

1：今日は6月5日なので、抽選では申し込めない。

2：インターネットでは申し込めない。

3：正解

4：インターネット抽選では申し込めない。

☆ 例題28　下の表は、ふじみ町駅とその近くの駅付近の日本料理店案内である。下の問いに対する答えとして最もよいものを一つ選びなさい。

問1 ラナさんは、豚肉、牛肉が食べられない友達と一緒に食事をしようと考えている。ふじみ町駅から5分以内の距離の店がいい。表の中に候補はいくつあるか。

1　2つ　　2　3つ　　3　4つ　　4　5つ

問2 タンさんは、4000円以下の予算で魚料理が食べられる店を探している。どの店がいいか。

1　北海道料理ピリカ　　2　ととや　　3　かにクラブ　　4　幸せ三昧

ふじみ町付近の日本料理の店

	店名	場所／種類	特徴	予算	行き方
①	豚丸	ふじみ町／豚肉専門居酒屋	鹿児島から届いた黒豚の逸品料理	￥3000〜￥3400	ふじみ町駅中央口より徒歩5分
②	北海道料理ピリカふじみ町店	ふじみ町／北海道郷土料理（和食）	四季折々の魚や貝、大地の野菜	￥5000〜	ふじみ町駅中央口より徒歩4分
③	松木町大川	松木町／和食	無農薬野菜にこだわり、本当の野菜の味を引き出す料理を出す店	￥3500〜￥5000	松木駅北口より徒歩7分ふじみ町駅より徒歩9分
④	しゃぶよしふじみ町店	ふじみ町／しゃぶしゃぶ	黒毛和牛と新鮮野菜食べ放題	￥5000〜	ふじみ町駅中央口より徒歩4分
⑤	ととやふじみ町南店	ふじみ町／居酒屋	財布も舌も大満足の本物の魚料理	￥2700〜	ふじみ町駅中央口より徒歩5分
⑥	四季の手料理みすず	新いずみ／和食	‘隠れ家’と呼ぶにふさわしい、看板のない料理店	￥7000〜￥9000	新いずみ駅より徒歩8分
⑦	かにクラブふじみ町公園通り店	ふじみ町／かに料理、会席、鍋料理	期間限定 かにしゃぶや、新鮮な魚、貝類がおすすめ	￥5000〜￥7000	ふじみ町駅より徒歩2分
⑧	すき焼き専門店中山ふじみ町店	ふじみ町／すき焼き	高級牛肉をお値打ち価格で	￥5000〜￥7000	ふじみ町駅東出口より徒歩10分
⑨	日本料理四季花	ふじみ町／日本料理	洗練された日本の四季の料理が味わえる	￥4000〜￥8000	ふじみ町駅南口より徒歩2分
⑩	幸せ三昧	松木町／和食	カジュアルながらも確かな味の和食店	￥3000〜	松木駅中央口より徒歩13分

どのような文章か
日本料理店の案内

問 1 に答える

問い：ふじみ町駅から5分以内の店は？
　　　　　豚肉、牛肉が食べられない。

◇項目「行き方」を見る。

　　5分以内　→　①②④⑤⑦⑨

◇項目「種類」「特徴」を見る。

　　豚肉、牛肉中心ではない店は？　→　②⑤⑦⑨

3：正解

問 2 に答える

問い：4000円以下で魚料理が食べられる店は？

選択肢：北海道料理ピリカ、ととや、かにクラブ、幸せ三昧

◇項目「予算」を見る。

　　4000円以下　→　ととや　幸せ三昧

◇項目「特徴」を見る。

　　二つのうち魚料理の店は？　→　ととや

1：予算が5000円以上である。

2：正解

3：予算が5000円以上である。

4：魚料理が食べられるかどうか、わからない。

練習 64　右のページは、マンションの掲示板に貼られていたお知らせである。下の問いに対する答えとして最もよいものを一つ選びなさい。

問1　このお知らせを受け取った田中さんは、11月9日は用事で留守にする予定である。田中さんはどうしたらいいか。

1　用事をキャンセルして、必ず在宅していなくてはいけない。

2　エービーシー(株)に電話して、留守にすることを伝えればいい。

3　11月11日9:00〜16:30に在宅できるなら、何も連絡しなくてもいい。

4　11月13日13:00〜16:30に在宅できるなら、何も連絡しなくてもいい。

問2　このお知らせを受け取った木田さんは、11月9日から1週間出張に行かなくてはいけない。家を出るのは午後である。木田さんはどうしたらいいか。

1　11月7日にエービーシー(株)に電話して、11月9日午前の点検を頼めばいい。

2　できるだけ早くエービーシー(株)に電話して、11月9日午前の点検を頼めばいい。

3　「変更ご希望票」に「11月9日午前を希望」と書いて、11月7日に管理センターに出せばいい。

4　「変更ご希望票」に「11月9日午前を希望」と書いて、できるだけ早く管理センターに出せばいい。

2011年10月15日

丸子パークタワー居住者の皆様

丸子パークタワー管理組合

消防設備点検のお知らせ

拝啓　時下益々ご清栄のこととお慶び申し上げます。

　さて、この度消防法に基づき、下記のとおり消防設備の点検を実施いたします。マンションの安全性に関わる重要な点検ですので、必ず受けられますようご案内申し上げます。また、点検のためお部屋に入室させていただきますので、ご多忙のこととは存じますが、点検予定時間にはご在宅くださいますよう、ご協力のほどお願い申し上げます。

　尚、点検作業中、非常ベルが鳴りますが、点検に伴うもので異常ではございません。どうぞご了承願います。

記

1．点検日　　　2011年11月9日（水）

2．作業時　　　9：00〜16：30

　　　　　　　　　（お部屋の点検所要時間は、7分程度です）

　＊当日は、上記時間帯で順番にお部屋の点検にお伺いしますが、時間帯のご希望がございましたら、事前に「変更ご希望票」を管理センターまでご提出ください。

　　ご希望による点検時間帯は先着順に決めさせていただきますのでご了承ください。

　＊11月9日（水）の点検日当日お留守の場合、

　　11月11日（金）9:00〜16:30の間に再度点検にお伺いいたします。

　＊11月9日及び11日の両日お留守の場合

　　11月10日（木）〜11月13日（日）の13:00〜16:30でお伺いできます。この期間をご希望の場合は、事前に「変更ご希望票」を管理センターまでご提出ください。

　＊「変更ご希望票」は11月7日までにご提出いただきますようお願いいたします。

3．点検業者　　　エービーシー（株）　防災設備チーム

　　　　　　　　　作業責任者　　大田　太郎

　　　　　　　　　緊急連絡先　　090-0000-0000

以上

練習65　右のページは、ジャズ・フェスティバル出演者募集の広告である。下の問いに対する答えとして最もよいものを一つ選びなさい。

問1 このフェスティバルへの出演を応募するのに必要なものは何か。

1　過去の演奏の録音、参加費

2　応募用紙、過去の演奏の録音

3　応募用紙、過去の演奏の録音、参加費

4　応募用紙、過去の演奏の録音、参加費、演奏順の希望

問2 出演者の選考結果を知る方法はどれか。

1　3月18日(金)頃、選考結果が郵送されてくる。

2　3月18日(金)頃、やまゆり市民会館で発表される。

3　3月25日(金)頃、市報「やまゆり市だより」の公演案内に載る。

4　3月25日(金)頃、やまゆり市のホームページで発表される。

やまゆり　アマチュア・ジャズ・フェスティバル　2011
出演者募集中

募集対象者：　アマチュアとしてジャズ演奏活動を行っており、発表の場を求めている方。

　　　　　　　学生、社会人、年齢を問わない。応募者多数の場合は選考により決定。

日時：　　　　2011年7月10日（日）やまゆり市民会館　大ホール

演奏時間帯：　11:00〜16:00（計10団体）

演奏時間：　　1団体あたり30分（舞台設定から片付けまでを含む。企画は自由。）

ステージ：　　グランドピアノ、ドラム、アンプを設置（以上は持込不可）

応募方法

・専用の応募用紙にご記入の上、過去の演奏の録音を必ず添えて、やまゆり市民会館までご持
　参いただくか、ご郵送ください。応募用紙は、やまゆり市ホームページからダウンロードで
　きるほか、やまゆり市役所、市民会館でも配布しております。

・参加費は、1団体あたり1000円（通信費として）。参加決定後、お支払いください。

・応募締め切りは、2011年3月18日（金）です。郵送の場合は必着でお送りください。

《注意》

(1)　演奏資料は原則返却いたしません。

(2)　応募用紙は提出前に必ずコピーを取り、お手元に保管ください。

(3)　出演者の選考結果は、応募締め切り後1週間程度で発表する予定です。やまゆり市ホー
　　　ムページ「アマチュア・ジャズ・フェスティバル2011」のページでご確認ください。

(4)　出演順の選定は主催者にご一任ください。

(5)　当フェスティバルについては、市報「やまゆり市だより」に載せる公演案内などで広く
　　　宣伝いたします。

ご記入いただきました個人情報は、当フェスティバル事務連絡以外には使用いたしません。

　　　　　　やまゆり　アマチュア・ジャズ・フェスティバル　2011実行委員会

　　　　　　　　　　　　　　　　連絡先：055-000-0000　担当：村上

練習66　次の文章は市報に載ったパソコンリサイクルについてのお知らせである。下の問い
に対する答えとして最もよいものを一つ選びなさい。

問1　平成19年に買ったパソコンを処分する場合の適切な方法はどれか。

1　3R推進協会のホームページでパソコンメーカーの受付窓口を調べ、回収を申し込む。伝票が
　　送られて来たら、パソコンをこん包し、伝票を貼り付けて、郵便局に持って行く。

2　市のリサイクルセンターに電話をして、回収の申し込みをする。パソコンを自分でこん包し、
　　送られてきた伝票を貼って、決められた日に回収されるのを待つ。

3　パソコンメーカーの受付窓口に申し込み、伝票が送られてくるのを待つ。伝票が届いたら、郵
　　便局に電話をして回収を依頼する。パソコンは郵便局の人がこん包する。

4　パソコンメーカーの受付窓口に連絡して申し込む。こん包したパソコンに送られて来た伝票を
　　貼って、メーカーの再資源化施設に持ち込む。

問2　PCリサイクルマークがないパソコンを処分する場合の適切な方法はどれか。

1　パソコンメーカーの受付窓口に問い合わせ、料金を支払って回収してもらう。

2　パソコンメーカーの受付窓口に問い合わせ、無料で回収してもらう。

3　市役所に申し込み、料金を支払って回収してもらう。

4　3R推進協会に申し込み、無料で回収してもらう。

みなみ市役所　暮らしの情報

パソコンリサイクル

> 平成17年1月から、市のリサイクルセンターではパソコンの
> 収集・受け入れを中止しています。
> 家庭で使用済みとなったパソコンはメーカーのリサイクルへ！

　資源有効利用促進法に基づき、使用済み家庭用パソコンをパソコンメーカーが回収しリサイ
クルしています。資源循環型社会を築くため、パソコンが不用になった場合はメーカー等にパ
ソコンの回収・リサイクルを依頼してください。

メーカーの回収・リサイクルの流れ

１．回収の申し込み

　メーカーの受付窓口に回収の申し込みを行います。ディスプレイとパソコン本体のメーカーが異なる場合はそれぞれのメーカーに申し込みが必要です。

　各メーカーの受付窓口は３R推進協会のホームページ（http://www.pasokonx3r.jp/）にリストが掲載されていますのでご確認ください。

※平成15年10月以降に販売されたパソコンには「PCリサイクルマーク」がついています。
　マークがついているパソコンは製造したメーカーが無料で回収・リサイクルしています。

※PCリサイクルマークがついていない製品（平成15年9月以前に販売されたパソコン）は各メーカー受付窓口に所定の方法を問い合わせてください。回収・再資源化料金を支払う必要があります。

２．エコゆうパック伝票が送付されます

３．パソコンのこん包とエコゆうパック伝票の貼り付け

リサイクルするパソコンをこん包し、送付された「エコゆうパック伝票」を見やすい場所に貼ってください。

４．パソコンの持込または集荷

・郵便局に持ち込む場合

　　郵便局の小包窓口にお出しください。

・戸口集荷を希望する場合

　　エコゆうパック伝票に記載されている郵便局に連絡してください。

　　郵便局がご自宅に回収に伺います。

５．郵便局がメーカーの再資源化施設に運搬

家庭から回収したパソコンを郵便局が各メーカーの再資源化施設に運搬します。

６．メーカーの再資源化施設でリサイクル

郵便局が運搬したパソコンはメーカーの再資源化施設で解体され、資源として再利用されます。

練習67 マルコさん、リーズさんの夫婦は空手を習いたいと思っている。仕事が終わってから習いたいので、会社から近い空手道場をネットで検索してみた。表はその結果である。下の問いに対する答えとして最もよいものを一つ選びなさい。

問1 夫のマルコさんは初めて空手を習う。週2回以上通いたいと思っている。この条件で、入会してから1年間の費用がいちばん安い道場はどれか。

1 国際空手道連盟山ノ上道場

2 日本空手クラブ南道場

3 佐分利空手道場

4 南町空手武道館

問2 妻のリーズさんは平日週1回習いたいと考えている。仕事で遅くなるので、午後7時半か、それ以降に始まるクラスに入りたい。入会してから1年間の費用がいちばん安い道場はどれか。

1 水神道場

2 日本空手クラブ南道場

3 風花流カラテ会

4 佐分利空手道場

クラス名 詳細	費用	回数（1回あたりの受講時間）	開催日時
国際空手道連盟山ノ上道場 【大人の部】 ＊本格派空手道場。初心者には基本からきっちり教えます。上級者も大歓迎。全国大会入賞者が指導します。	入学金：10,000円 受講料：8,000円/月 　　　　（年間96,000円） 他諸費用：6,000円/年（保険料含む）	自由回数制 （90分）	月・土 6:00～7:30 　　　10:00～11:30 　　　19:00～20:30 火 19:00～20:30 水 19:00～20:30 金 10:30～12:00 　　19:00～20:30

水神道場【女子部 空手クラス】 ＊今女性の間で流行している「空手」。空手を通じて、美しい動作を身につけませんか？	入学金：0円 受講料：8,400円／月 　　　　（年間100,800円） 他諸費用：6,000円／年	週4日まで 受講可 （1時間15分）	月〜木曜 19：30〜20：45
日本空手クラブ南道場【大人クラス】 ＊南駅より徒歩5分なので、仕事帰りの会社員の皆様にも空手を思う存分楽しんでいただけます。初心者大歓迎。	入学金：8,000円 受講料：7,000円／月 　　　　（年間84,000円） 他諸費用：3,000円／年	週1回（60分〜90分）	火曜日　午後7時30分から9時まで
風花流カラテ会【レディース・クラス】 ＊空手で美しい女性を目指しませんか？　トレーニングは空手の基本・型からミット打ちなどたくさんのプログラムがあります。	入学金：5,000円 受講料：6,000円／月 　　　　（年間72,000円） 他諸費用：10,000円／年	週1回（90分）	月・水・木・金 17：00〜18：30 19：00〜20：30 土曜日は15：00〜16：30
佐分利空手道場【一般クラス】 ＊初級者から上級者まで。レベルに合わせて丁寧に指導します。希望者は年1回行う競技会に参加できます。	入学金：10,000円 受講料：7,000円／月 　　　　（年間84,000円） 他諸費用：2,000円／年	週3回まで 受講可 （90分）	月、火、木、金 19:00〜20:30 土 16:00〜17:30 18:30〜20:00
南町空手武道館【成人の部】 ＊中上級者のための本格的空手教室。全国大会で優勝経験のある館長が指導。技に磨きをかけたい経験者向けクラス。	入学金：10,000円 受講料：9,000円／月 　　　　（年間108,000円） 他諸費用：特にありません	回数無制限（90分） ただし、月火木金クラスか水土日クラスのどちらかを選択	月，火，水，木，金，土，日 月火木金20:00〜21:30 水　土　日19:00〜20:30

練習68　右のページは、福島県内で11月に行われる祭り・イベントの一覧である。下の問いに対する答えとして最もよいものを一つ選びなさい。

問1　マイクさんは、11月5日から7日まで福島県に行き、神社巡りをしようと思っている。マイクさんが神社で見物できる祭りはいくつあるか。

1　1つ

2　2つ

3　3つ

4　4つ

問2　ファンさんは、夜行われる祭りを見たいと思っている。11月の土曜日に見物できる祭りはどれか。

1　火渡りの神事

2　山城天神菊まつり

3　佐山夜祭り

4　第36回靴のめぐみ祭り市

福島県11月祭り＆イベントカレンダー

日程	名称	場所・アクセス	問い合わせ	詳細
1日（土）	火渡りの神事	秋葉神社・JR福田線秋葉神社前駅下車徒歩5分	秋葉神社 ☎024-444-000	社殿前で火がたかれ、裸足で赤々と燃えた炭火の上を無病息災と防火を祈りながら渡る。16時から深夜。
1（土）〜15日（土）	山城天神菊まつり	山城天神・JR尾上線山城天神駅下車徒歩約10分	山城天神 ☎024-333-000	藩主ゆかりのさまざまな種類の菊を神社の境内に展示します。拝観料800円。6時〜16時半（最終受付は16時）
3（月）〜6日（木）	佐山夜祭り	佐山神社・JR佐間線佐山駅下車徒歩10分	佐山夜祭り実行委員会 ☎024-555-000	佐山神社の例大祭。豪華絢爛な6台の神輿と屋台が出ます。5日（宵宮）は神輿・屋台が12時から16時半と18時から20時まで、6日（大祭）は9時から24時頃まで見られます。クライマックスは6日の夜で、冬の夜空に舞う花火は必見。
7（金）・8日（土）	林みつる祭り	林みつる記念館・JR川辺線小田井駅下車徒歩10分	林みつる記念館 ☎024-888-000	林みつるの命日にちなんで林みつる記念館が無料公開される。7日には林みつる研究家による講演や人形劇もある。9時〜16時半。
8（土）・9日（日）	第36回靴のめぐみ祭り市	玉姫稲荷神社・JR福田線稲荷前駅下車徒歩2分	玉姫稲荷神社 ☎024-999-000	靴への感謝の気持ちと足元の安全と健康を願って集められた古靴をおたき上げする。メーカーや問屋による即売会もある。（16時半頃まで）
8（土）〜30日（日）	尾高山もみじまつり	尾高山明神・JR尾上線高野駅から徒歩5分、ケーブルカー尾高山明神下車	尾高山観光協会 ☎024-666-000	期間中の土・日曜・祝日を中心に、神社の境内で太鼓の演奏や民謡・踊りなどさまざまなイベントが行われる。11時から日没まで。
23日（日）	秋大祭	水面明神・JR川上線川辺駅下車徒歩約6分	水面明神 ☎024-777-000	「にいなめのまつり」とも言われる神社大祭の一つ。1年間の豊作と神の恵みに感謝する神事。

模擬試験

問題1　次の文章を読んで、後の問いに対する答えとして最もよいものを、1・2・3・4から一つ選びなさい。

　似顔絵とは批評です。

　肖像画と比較すれば、そのことがよくわかります。同じく特定のモデルを描くものでありながら、方向性はまったく逆なんですね。

　むかしなら王侯貴族、近代になってくると政治家とか会社の創業者とか、そういう人たちが自分の業績やら地位やら権力を記録しておきたいために、絵描きに命じて描かせたのが肖像画。銅像を建てるというのもこの延長線上にある。原寸大(注1)に描くのではなく、立派で偉大にみえるように描く。

　つまり上昇の方向で造形するわけです。

（山藤章二『カラー版似顔絵』岩波書店）

(注1)原寸大：実物と同じ大きさ

---

1 **この文章の内容に最も近いものはどれか。**

　　1　似顔絵はある特定のモデルを立派にみえるように描こうとするものである。

　　2　似顔絵は肖像画と違って、モデルを実物より偉大にみえるようには描かない。

　　3　肖像画は似顔絵と似ているが、モデルが偉大な人物だという点で異なっている。

　　4　肖像画は似顔絵と違って、モデル本人が絵描きに命じて描かせたものである。

問題2　次の文章を読んで、後の問いに対する答えとして最もよいものを、1・2・3・4から一つ選びなさい。

　「監視」には二つの顔がある。同じ一つの監視カメラでも、不審者が侵入しないようマンション入り口に設置されていると生活の安全のためと納得するが、コンビニや街路に設置されて二十四時間体制でモニターしているのを見ると、個人が犯罪者扱いされるようで不快感を覚える。特定少数者の同定(注1)と不特定多数者の監視、同じ監視カメラによる個人に向けた注視行為でも、二つの側面があるのである。

（池内了『科学の落し穴　ウソではないがホントでもない』晶文社）

(注1)同定：何かと同一であることの確認

2　この文章の内容に最も近いものはどれか。

　1　監視カメラが撮った一つの映像からは、ある特定の人物の同定と、不特定多数者の観察の両方が同時に可能である。

　2　監視カメラは、個人生活の安全のために使用するのは良いが、路上や店舗といった公共の場では使用すべきでない。

　3　監視には、特定の人物以外は入れないように監視する場合と、すべての人間を犯罪者候補と想定して監視する場合がある。

　4　監視カメラを設置する場合は、人々に不快感を与えないように、設置する場所と時間の2点に注意すべきである。

問題3　次の文章を読んで、後の問いに対する答えとして最もよいものを、１・２・３・４から一つ選びなさい。

　一般に、自然保護と人間の営み(注1)は対立的な形で語られることが多い。実際は単純ではないにせよ、地域の振興発展と自然保護とはおおむね衝突すると考えられている。林道建設などの開発に「地元」の住民が反対する場合もないわけではないが、「地元」の人たちが開発を支持する一方で、都会の環境保護団体などのいわば「よそ者」の人たちが自然保護を提起し、「地元」の少数派の人たちを支援するという構図は一般的にみられる。（中略）

　自然とのかかわりが深いはずの人たちが開発を叫び、むしろ、かかわりが少ない人たちが自然保護を叫ぶ。ここでもまた、①逆説的な構図がある。

（鬼頭秀一『自然保護を問いなおす──環境倫理とネットワーク』筑摩書房）

(注1) 営み：物事や生活を行うこと

3　ここでの①逆説的な構図とはどんなことか。

　１　自然の中で生活している地元住民よりも、よそ者のほうが自然保護に熱心なこと

　２　山林を開発することが、自然の保護につながっているのだということ

　３　自然保護活動と人間の営みは、衝突してしまうものなのだということ

　４　自然とは関係のない人たちが来て、地元の振興発展のために自然保護活動をすること

問題4　次の文章を読んで、後の問いに対する答えとして最もよいものを、1・2・3・4から一つ選びなさい。

ＦＡＸ送信状	2011年12月12日
	枚数　1／1枚

（株）サム

　　営業部　谷　様

（株）ブックＫ

商品管理課　王　芳

①＿＿＿＿＿＿＿＿＿＿＿＿＿＿＿＿＿＿

いつもお世話になっています。

さて、弊社は12月16日（金）倉庫の棚卸しを行います。注文受注、出荷処理は以下のとおり翌営業日扱いになりますので、ご確認の上ご注文ください。また当日商品管理課は不在となり業務は行いません。年末のお忙しいところご迷惑をおかけしますが、よろしくお願いいたします。

ご注文日		お届け日
12/14（水）13:00まで 通常納品	→	12/16（金）
12/15（木）13:00まで	→	12/20（火）
12/15（木）13:00 〜 12/19（月）13:00まで	→	12/21（水）
以降通常どおり		

4　この文章のタイトルとして①＿＿＿＿＿に入るのはどれか。

1　年末年始の棚卸しのお知らせ

2　在庫不足による出荷処理遅延のお知らせ

3　棚卸しによる商品お届け日変更のお知らせ

4　商品管理課不在による注文受付方法変更のお知らせ

問題5　次の文章を読んで、後の問いに対する答えとして最もよいものを、1・2・3・4から一つ選びなさい。

　科学で「分かる」と言う場合、確かに対象となる自然現象を分けながら理解している。つまり、「ここまでは分かる、ここから分からない」という線を引き、少しずつ分かる部分を増やしていくのが科学研究だと言える。しかし、対象が複雑な場合は、一筋縄ではいかない。謎が謎を呼んで、分かろうとしているのに、逆に分からないことの方がたくさんあることが明らかになることも多い。

　科学が分けることならば、対象を分けてうまく分類ができてしまえば科学研究は終わりかというと、①そんなことはない。むしろ分類することは科学研究の始まりであって、終わりではないのである。科学は、常に一歩踏み込んだ説明を必要とする。

　たとえば、蝶をたくさん集めたとしよう。まず、図鑑と照らし合わせて蝶の名前を調べ、色や形で分類して、生息地や採集時期を正確に記録すれば、蝶に対する経験的な知識は、かなり深まることだろう。しかし、②これでは蝶のコレクターと変わらない。単なるコレクターから科学者に脱皮(注1)できるかどうかは、その先の分析にかかっている。

　蝶に共通した固有の性質(たとえば、羽にある鱗粉)を見つけ、それがどのような法則によって多様に変化するかを考えること、それが分析である。多様性の根底にある法則を発見するためには、対象の本質をとらえる分析力が必要となる。

（酒井邦嘉『科学者という仕事』中央公論新社）

(注1)脱皮：昆虫類、爬虫類などが成長のため古くなった外皮を脱ぎ捨てること

5 ①<u>そんなことはない</u>とはどういう意味か。

1 科学は分けることが重要なのではない。

2 科学は分けることが手段なのではない。

3 科学は分けることが始まりなのではない。

4 科学は分けることがゴールではない。

6 ②<u>これでは蝶のコレクターと変わらない</u>とはどういう意味か。

1 蝶に対する知識を深めるだけでは、蝶のコレクター以下である。

2 蝶に対する知識を深める点で、科学者と蝶のコレクターは同じようなものである。

3 蝶を集め、分類し、記録するだけでは蝶のコレクターに過ぎず、科学者とは言えない。

4 蝶を集め、分類し、記録する点で、科学者と蝶のコレクターは同じようなものである。

7 筆者の考える科学研究とは何か。

1 自然現象を分けること

2 自然現象を分析し、自然界の法則を見つけること

3 自然現象を収集し、分類し、記録すること

4 自然現象についての経験的な知識を深めること

問題6　次の文章を読んで、後の問いに対する答えとして最もよいものを、1・2・3・4から一つ選びなさい。

　女性誌などで頻繁に使われる①「自分探し」といういい回しが苦手だ。使い方としては、「自分探しの旅に出る」なんていうのが定番(注1)だが、家出人の捜索じゃないんだからねえ。鏡でも見ればそこにあなたはいますよ、と嫌味(注2)のひとつもいいたくなる。

　なんというか、自分への肥大した買い被り(注3)が気恥ずかしい。「自分探し」をする人は、今の自分は本来の姿ではないと思っている。だから、別の自分を必死で探す。探している自分は、もっと素敵でいきいきとしていて知性に溢れた好人物なのであろう。

　そして、自分探しに懸命な人々は、旅に代表される環境の変化が、何か劇的な化学反応でも起こしてくれると信じている。②まったくおめでたい。（中略）

　自分探しの類似品が「自分磨き」だ。要するにこれ、アクセサリーとしての「知性」が欲しいってことではないだろうか。そういうアクセサリーを欲しがるなんて、すごく下品だと思う。

　「自分磨き」さんたちは、知性を得るために、英会話やお茶のお手前なんて定番から始まり、やれオペラだ歌舞伎だワインだと習い事に手を出す。情報ばかりインプットして、それを知的と勘違いしている。インプットされた情報に対して自分なりの反応を持ち、情報を消化してこそ、はじめてそれが知性になるのではないか。

（甘糟りり子『女はこうしてつくられる』筑摩書房）

(注1) 定番：代表的なもの
(注2) 嫌味：皮肉
(注3) 買い被り：実際以上に高く評価すること

8 筆者が①「自分探し」といういい回しが苦手だと言うのはなぜか。

　1 「自分探しの旅に出る」という表現は嫌味（いやみ）っぽくて嫌いだから

　2 「自分探し」に懸命になると自分が劇的に変化してしまうかもしれないから

　3 「もっと素敵な本来の自分を探そう」という発想が幸福を招くとは限らないから

　4 「自分はもっとすばらしいはずだ」と信じているところが気恥ずかしいから

9 ②まったくおめでたいとあるが、「おめでたい」のはだれか。または何か。

　1 筆者

　2 自分探しに懸命な人々

　3 環境の変化

　4 環境の変化が化学反応を起こすこと

10 「自分磨き」をめぐって筆者が述べていることは何か。

　1 「自分磨き」をする人への批判

　2 「自分磨き」の長所と短所

　3 「自分磨き」をより上手に行う方法

　4 「自分磨き」が好きな女性が多い理由

問題7　次の文章を読んで、後の問いに対する答えとして最もよいものを、1・2・3・4から一つ選びなさい。

　最近、近所に「河川緑地」というのができた。「緑地ができた」というと、緑のないところに、緑ができた、と思われるかもしれないが、駐車場のコンクリートを剥がして木を植えたとか、つぶれたデパート跡地を更地(注1)にして芝生を植えたという話は聞かない。たいていは普通の山林や、河川敷(注2)を「①整備」し、なぜか「緑地」になる以前の方が、遥かに豊かな生態系が保たれていたりする。

　その河川緑地も、もともとは「ただの河川敷」だった。「ただの河川敷」には、葦や菊芋、野いばら、野かんぞう、ネコヤナギ、等々の植物が生い茂り、その中に数本のニセアカシアの木があって小さな林を作っていた。人や犬が通った跡は、窪地や陽溜まりを繋いで曲がりくねった小道になり、冬は寒風から、夏は強い陽射しから人々を守って、②水辺に誘う。（中略）

　全長五百メートルの「緑地」はここに出現した。

　まずニセアカシアの林がなくなった。初夏の頃だったから、団地の奥さんたちと、「日陰がなくなって、やぁねえ」と言っていたのも束の間、ブルドーザーが入り、小道も、河川敷の微妙な起伏も、葦も、野かんぞうも、根こそぎ潰していった。代わりにコンクリートの土手に囲まれた真っ平らな芝生の「緑地」が出来上がったのである。

（篠田節子『三日やったらやめられない』幻冬舎）

(注1) 更地：建物などが何も建っていない土地
(注2) 河川敷：洪水に備えて川と堤防の間に作られた土地

11 ここでの①<u>整備</u>とは、どういうことか。

　1　それまで緑のなかったところに、木や芝生を植えること

　2　コンクリートを敷き、木や草が生えないようにすること

　3　自然を美しく見せるため、余計な枝や草を取り除くこと

　4　もともとあった自然を潰して、人工的な自然を作ること

12 ②<u>水辺に誘う</u>とは、どういうことを指すか。

　1　新しい河川緑地が、人々を水辺まで行ってみたいという気持ちにさせる。

　2　ニセアカシアの木に囲まれた気持ちのいい小道が、歩く人を水辺まで来させる。

　3　水辺の美しい植物が、それを見かけた人々を感動させて水辺まで来させる。

　4　ニセアカシアの木が、人々を涼しくていい気持ちにさせて水辺まで来させる。

13 この文章で、筆者が伝えたいことは何か。

　1　「河川緑地」ができるまでの作業手順

　2　「河川緑地」に対する近所の人々の評価

　3　「河川緑地」を作るという考え方に対する疑問

　4　「河川緑地」と「河川敷」とを比較した調査結果

問題8　次の文章を読んで、後の問いに対する答えとして最もよいものを、1・2・3・4から一つ選びなさい。

　いまの映画館は超満員か超閑散かの両極端なのでどうかよくはわからないが、ひとむかし前の映画館では、客がまばらなときでも、いつも最前列にどっかと腰を下ろしている男がいたものだ。そこに先客があると、居心地わるそうに、男は二、三列目の端っこに座る。なぜかぎりぎりの場所に座る男。

　どうしてそんな見にくい場所に、ともおもうのだが、たぶん、スクリーン以外に眼に入るものがないということが大事なんだろうとおもう。つまり、世界にまるでじぶんひとりしか存在しないようなそんな気分で。

　この男ほどではないにしても、ひとは多少なりともそんな気分に浸りたくて映画館に入るのではないか。他人とともにいながら他人に見られないですむ、あるいは他人を見ないですむ、そんな空間。コーヒーショップというともうその風情はないが、かつての喫茶店が①そうだった。他人が間近にいるのにだれとも話さないでいられる空間、そこでひとりっきりになれるという想いが、知らない喫茶店のドアを開けるときにはあった。

　さて、映画館で、ひとはなぜかシートに深く身を沈める。背もたれに頭をあずけ、腰をぐっと前に出して、まるでその場に陥没するかのような座り方をする。そして画面にじっと見入る。まるでカンガルーのお母さんの腹袋のなかに入り込んで、そこからひょいと顔だけを出し、眼だけの存在になって外を見るかのように。

　見るけれど見られない、②そんな存在になりたいのかもしれない。他人の視線に疲れ、それからみずからを外すことで、じぶんを弛めているのかもしれない。しかも、スクリーンに展開する物語のなかにじぶんをどっぷりと浸すことで、じぶんのことを考えることすらじぶんから遠ざけようとしているのかもしれない。結局、他人というよりもむしろじぶんを、③いつも他人のなかで右往左往している〈わたし〉自身から、解き放ちたいとおもっているのかもしれない。

　他人のあいだで神経をひりひりさせている〈わたし〉、それを他人から、そして〈わたし〉自身から解き放つために、ひとは群衆のなかに身を押し込むことがある。他人から離れるために他人のなかに入るというのは、なんとも逆説的なことだが、実際、ぎゅうぎゅうづめになって密着しあう群衆のなかでは、じぶんの内で起こっていることと他人のなかで起こっていることの区別がさだかではなくなって、自他の仕切りがあいまいになり、逆に、他人と接触していることの不安も薄らいでゆく。エリアス・カネッティという思想家は、それを「接触恐怖の転化」とよんだ。

　群衆のなかでじぶんがだれでもなくなるということの心地よさ、それとおなじものをひとは映画館という場所に求めているのだろう。そのとき、映画館は孤独になれる場所ですらない。むしろ孤

独であることすら忘れられる場所として映画館はある。

（鷲田清一『死なないでいる理由』角川学芸出版）

14 ①そうだったとはどういうことか。

1　コーヒーショップと同じような空間だった。

2　映画館と同じような空間だった。

3　風情がないところだった。

4　ひとりにはなれない場所だった。

15 ②そんな存在とは何か。

1　じぶんは外の世界を見るけれど、他人からは見られない存在

2　他人のことは見られるけれど、映画を見ることはできない存在

3　じぶんでじぶんのことを見るけれど、他人からは見られない存在

4　カンガルーのお母さんの腹袋のなかに隠れ、安心していられる存在

16 ③いつも他人のなかで右往左往している〈わたし〉自身とはどういう意味か。

1　他人の視線を常に気にして行動している〈わたし〉

2　いろいろな人のところへ行って助けを求めている〈わたし〉

3　他人のなかでの評価が高かったり低かったりしている〈わたし〉

4　映画館のなかであちらこちら移動している〈わたし〉

17 この文章で筆者が最も言いたいことは何か。

1　ひとは、映画館の暗闇で、だれからも見られず、〈わたし〉からも解放されて、だれでもないということの心地よさを感じる。

2　ひとは、カンガルーの腹袋に入っているかのように、映画館のシートに深く身を沈めて画面を見つめるが、それは、他人を見たくないからである。

3　ひとは、ひとりでいるときより、群衆のなかにいるときのほうが孤独を感じるものであり、孤独を楽しむために映画館へ行くのである。

4　ひとは、孤独に耐えられなくなって映画館に行くが、そこで、群衆のなかに身を置いたときに、ひとりではないことを確認して安心するのである。

問題9　次のＡは新聞記事、ＢとＣはそれに対する読者の意見である。後の問いに対する答えとして、最もよいものを１・２・３・４から一つ選びなさい。

Ａ

インターネット上の有害情報から子どもを守るため、与野党が議員立法としてまとめた「青少年が安全に安心してインターネットを利用できる環境整備法」(有害サイト対策法)が11日の参院本会議で可決、成立した。

対策法は携帯電話会社やネット接続会社に対し、18歳未満の子どもが使う携帯やパソコンに有害サイトの閲覧を制限するフィルタリングサービスの提供を義務付ける内容。ただ、保護者が不要と判断すれば解除可能。

(47NEWS 2008年6月11日 共同通信配信)

Ｂ

子供たちをネット被害から守るというこの法律の趣旨そのものは評価する。だからといって、何でも条例や法で規制するという考えには賛同できない。それによって子供たちを一時的に無菌状態に置いたとしてどうなるのだろうか。将来社会に出て行かなければならない子供たちを危険から隔離し、現実を見せないことは問題の解決にはならない。今の時代、ネットは生活、勉強などすべての面で不可欠な存在なのである。むしろ、ネットの現実に触れさせ、その対処のしかたを学ばせるべきである。このような判断力をつけさせる教育の制度化こそ望まれる。

Ｃ

最近、ネットに関係した犯罪が増えていますよね。子供たちは、まだ物事の善し悪しが十分にわかっているとは言えませんから、知らないうちに有害サイトを見て犯罪に巻き込まれたりすることもあると思うんです。だから、このような法律は必要だと思います。ただ、そういう業者は、次から次へとフィルタリングで排除できないサイトを作ってくるんじゃないでしょうか。一部の有害サイトが排除できるからといって、それで安心とは言えない気がします。やはり、子供たちが適切にインターネットを使用できるようになるためのメディア教育が重要なんじゃないでしょうか。

18 11日に成立した法律はどのようなものか。

1　子供たちにとって有害なインターネットのサイトを運営する会社の取り締まりを決めた法律

2　子供たちが有害なインターネットのサイトを気軽に見ないように教育するシステム作りを決めた法律

3　青少年が携帯やインターネットなどのサイトを自由に見られないよう、親が管理することを義務づけた法律

4　携帯やインターネットの接続会社に、子供たちが有害サイトを見られないようにするサービスの提供を義務づけた法律

19 この法律に対して、Bの筆者とCの筆者はどのような立場を取っているか。

1　Bは、法律の趣旨には賛同しているが、法制化には反対している。
　　Cは、法律の成立に賛成している。

2　Bは、法律の趣旨には賛同しているが、法制化には反対している。
　　Cは、法律の成立に反対している。

3　Bは、法律の趣旨にも法制化にも反対している。
　　Cは、法律の成立に反対している。

4　Bは、法律の趣旨にも法制化にも反対している。
　　Cは、法律の成立に賛成している。

20 BとCに共通する意見は何か。

1　子供たちを無菌状態に置かず、ネットの現実に触れさせるべきだと考えている。

2　子供たちはまだ善悪の判断ができないので、ネット犯罪に巻き込まれやすいと考えている。

3　子供たちが自分で身を守れるようになるために、メディア教育が必要だと考えている。

4　子供たちに対するメディア教育を、法律によって義務化することが必要だと考えている。

問題10　次の文章を読んで、後の問いに対する答えとして最もよいものを、1・2・3・4から一つ選びなさい。

「一家の稼ぎ手である父・夫と家庭を守る主婦（母・妻）およびその子ども」という「核家族」は、歴史的には比較的新しいものです。これは日本では、戦後の右肩上がりの経済発展のなかで一定の役割を果たした面もありますが、夫婦の性別分業を当然とみなす意識は社会状況の変化とともに弱まっています。「男性は家庭の外で働き、女性は家庭を守るのがよい」、「女の幸福は結婚・家庭にある」、「主婦が女としての生きる道だ」といった意見に賛成する人の割合は、1980年代からどんどん減り、女性も仕事をもつのが当然と思う人が、大幅に増えてきています。

このような変化の背景には教育レベルの向上、経済状況の変化、情報化などとともに、長寿化に伴う①ライフコースの変化があります。長寿化で人生の後半部分が長期化し、世帯主が職業生活を終えた夫婦の「その後の人生」を考えなければならなくなりました。女性が一度結婚して家庭をもつと、それで一生の生き方が決まるという、これまでの人生観を変えたのです。長い人生のいつ、誰とどのような家庭をつくるか、自分で選択しなければ、長い人生、とくに高齢期の過ごし方に、誰も責任をもってくれるわけではありません。

ライフコースの変化は、女性の人生観を変えるとともに、②男性にも決定的な影響を与えることになりました。それは「一家の稼ぎ手」という役割を定年で終えたあとの長い役割喪失期に、どのように家族の絆（きずな）を持ち続けられるかという課題に直面することです。長年にわたる家庭生活のなかで人間どうしの尊敬や愛情を持ち合える関係をつくることで、夫婦の絆、親子の絆は、役に立つ・立たないを超えた、「ともに支え合う」つながりとなることができます。昨今のように男性の就業構造が不安定になると、家族を養うだけの収入が得られない夫・父親は、家族のなかでの居場所を失いかねません。しかし、いまや一人の男性が妻子に対して一生経済的責任を負うなどということは、不可能ではないとしても無理な時代になっています。③無理をすれば夫にとっても妻子にとっても、リスクとストレスが大きく、決して幸せな状態ではありません。家族のあいだにしっかりとした人間的な結びつきがあり、妻・母親が経済力をもっていれば、危機を乗り越え、絆をさらに強めることさえできるかもしれません。

いまの社会では、固定的な性別分業家族は誰にとってもセーフティ・ネット（安全安心を守る仕組み）ではありえません。男女の役割分担が柔軟になることで、変化する時代に対応し、一人ひとりの個性を尊重し合うことができ、家族はさらに絆を深めるものになっていくはずです。

（21世紀男女平等を進める会『誰もがその人らしく　男女共同参画』岩波書店）

21 ①<u>ライフコースの変化</u>の説明として最も適切なものはどれか。

1 女の幸福は家庭という考えが変化し、外で働く女性が増えた。

2 経済が伸び悩み、妻も働かなければならなくなった。

3 定年で仕事を辞めたあとの人生が、以前に比べて長くなった。

4 核家族が増え、夫婦がそれぞれ役割分担をするようになった。

22 ②<u>男性にも決定的な影響を与える</u>とあるが、その影響はどれか。

1 家事を分担したいと考える男性が、強いストレスを感じること

2 退職で収入のなくなった男性が、家族のなかで必要とされていないと感じること

3 退職で暇になった男性が、趣味などの生きがいを見つけられずに苦しむこと

4 会社という精神的な居場所をなくした男性が、心の不安定な状態に置かれること

23 ③<u>無理をすれば</u>とは、どういう意味か。

1 夫だけが家族を養おうとすれば

2 夫が仕事だけでなく家事も分担しようとすれば

3 夫と妻がともに家事を分担しようとすれば

4 夫と妻がともに経済力を得ようとすれば

24 この文章で筆者が最も言いたいことは何か。

1 社会が大きく変化している現在では、女性が外に出て経済力をつけ、自分の能力を伸ばすことで、家族の関係も良くなるはずだ。

2 社会状況とライフコースが変化している現在では、男女の役割を固定化しないほうが、家族はしっかりとしたつながりが持てるだろう。

3 教育や経済状況の変化だけでなくライフコースも変化しているので、男性も家庭に目を向け、家族の絆をもっと強めるべきである。

4 教育レベルが上がり、情報化も進んでいるため、人々も固定化した性別分業をやめ、自分の能力に合った仕事を選ぶほうがいい。

問題11　右のページは、あるサイトに出ていた東京近郊にあるおすすめの温泉リストである。下の問いに対する答えとして最もよいものを、1・2・3・4から一つ選びなさい。

25　トムさんは、日帰りで温泉に行こうと思っている。露天風呂(注1)があり、料金がいちばん安いところはどこか。

　　1　大山寺温泉

　　2　青梅鮎の里

　　3　氷川郷温泉水山亭

　　4　山倉温泉

(注1)露天風呂：屋外に作られた風呂

26　ジャンヌさんは、日本へ観光に来る両親と、電車で温泉に行って1泊しようと思っている。伝統的な日本家屋の旅館で、おいしい和食が食べられるところがいい。また、両親は足が悪いので、駅から徒歩5分以上の場合は、送迎サービスがあるところがいい。最も適したところはどこか。

　　1　ホテル・スカイランド

　　2　青梅鮎の里

　　3　蛇の湯温泉

　　4　氷川郷温泉水山亭

施設の名前・住所	交通	料金	その他
大山寺温泉 東京都大山市大山寺元町 042-499-000	東線大山駅から大山寺行きバスで15分	800円	そばで有名な大山寺の近くにある日帰り施設で、緑豊かな大露天風呂がある。気軽に温泉を楽しみたい人におすすめ。
ホテル・スカイランド 東京都練馬区向山 03-3990-111	西鉄道スカイランド駅から徒歩1分。駐車場あり	1泊2食つき 12,000円 入浴のみ 1,200円	日本庭園を眺めながら露天風呂が満喫できる温泉ホテル。男女が一緒に楽しめる水着着用のゾーンには屋外のサウナや、ジャクジーなどもある。ホテル内のイタリアンレストランは、すこぶる評判がいい。
青梅鮎の里 東京都青梅市駒木町 0428-23-222	JR青梅駅から徒歩15分。送迎バスあり	1泊2食つき 9,000円 入浴のみ 500円	多摩川沿いにある温泉。風呂は露天ではないものの、最上階の7階にあるので、奥多摩の山々を眺めながらのんびり湯につかることができる。建物は非常に近代的で清潔。10時30分〜16時、18〜21時の間は、日帰り入浴も受け付けている。山菜や川魚など、山の幸をふんだんに使った日本料理が味わえる。
蛇の湯温泉 東京都檜原村数馬 042-598-333	JR霞駅から徒歩15分	1泊2食つき 9,000円 入浴のみ 700円	築300年以上の歴史を誇る温泉旅館。露天の大きな岩風呂は、昔けがをした蛇が傷を治したと言われる。本館、別館ともに日本家屋で、落ち着いた風情があり、庭もすばらしい。日帰り入浴も10〜18時の間、受け付けている。新鮮な材料を使った和食が自慢。
氷川郷温泉水山亭 東京都奥多摩町氷川 0428-83-444	JR奥多摩駅から徒歩25分 送迎バスのサービスあり	1泊2食つき 13,000円	1818年創業の趣深い老舗旅館。建物は市の指定文化財になっている。周辺の樹木を眺めながら入浴できる露天風呂も、すばらしい。料理は、山菜、川魚という土地のものを使った素朴な和食が満喫できる。日帰り入浴は不可。
山倉温泉 東京都青梅市富岡小曽木 0428-20-555	JR東駅から西バス富岡駅南口行きで15分	1泊2食つき 12,000円 入浴のみ 500円	黒沢川のほとりにある、小ぢんまりとした旅館だが、黒い岩の露天風呂は大きくて立派。日帰りも可。近くに有名な手打ちうどんの店がある。

著者

福岡理恵子
　　　東京外国語大学留学生日本語教育センター非常勤講師
清水知子
　　　横浜国立大学国際教育センター非常勤講師
初鹿野阿れ
　　　名古屋大学国際教育交流センター特任教授
中村則子
　　　早稲田大学日本語教育研究センター非常勤講師
田代ひとみ
　　　東京外国語大学留学生日本語教育センター非常勤講師

イラスト
山本和香

装丁・本文デザイン
糟谷一穂

新完全マスター読解　日本語能力試験N1

2011年 8 月23日　初版第1刷発行
2019年11月 6 日　第 6 刷 発 行

著　者　　福岡理恵子　清水知子　初鹿野阿れ　中村則子　田代ひとみ
発行者　　藤嵜政子
発　行　　株式会社　スリーエーネットワーク
　　　　　〒102-0083　東京都千代田区麹町3丁目4番トラスティ麹町ビル2F
　　　　　電話　営業　03（5275）2722
　　　　　　　　編集　03（5275）2725
　　　　　https://www.3anet.co.jp/
印　刷　　倉敷印刷株式会社

ISBN978-4-88319-571-8　C0081

新完全マスター 読解 日本語能力試験 N1

読解 N1

別冊

解答と解説

スリーエーネットワーク

実力養成編

練習1

芸術について書かれた文章である。

「旧ソ連やニューヨーク」と「日本」の対比に注目して、芸術についての筆者の考えを読み取る。

・旧ソ連やニューヨークではアーチストが優遇されている（第1段落）。

・日本では義務教育の教科から美術の時間が減らされたりしている（第2段落）。つまり、芸術が軽視されていると言える。

このような状況を見て、筆者は芸術の必要性を主張している。

1：正解

2：美術の時間がなぜ減ったかは、この文章のテーマではない。

3：アーチストに住居を提供するべきだとは書かれていない。

4：「美」が重要なのは、人の心を豊かにするからではない。

練習2

東京と大阪の違いについて書かれた文章である。

「東京」と「大阪」の対比に注目して、「小異（＝小さな違い）」を読み取る。

・東京の編集者やカメラマンは、大阪では一般市民が簡単に岸壁に出られることに驚いた（第3段落）。

・筆者（大阪の人）は、東京では岸壁に出られないことに驚いた（第3段落）。

筆者はこの体験から、東京は海岸線が閉じられている（＝岸壁に出られない）が、大阪は開いている（＝岸壁に自由に出られる）という違いに気づいたのである（第5段落）。

1：都市風景が似ているとは書かれていない。また、この文章のテーマは「小異」であって、似ている点ではない。

2：出入口の向きについては書かれていない。

3：違いは実際に岸壁に出られるかどうかで、一般市民がそれを知っているかどうかではない。

4：正解

練習3

「おふくろの味（＝今の男性が昔を懐かしんで求めている惣菜）」について書かれた文章である。

「昔」と「今」の対比に注目して、「おふくろの味」に対する筆者の考えを読み取る。

・昔は料理の素材がおいしかった（第3段落）。

・今の素材は見た目は同じでも「全く別物」、つまり、全く違うものである（第3段落）。

素材がおいしくないから、昔と同じ料理を作っても、今は味気ないものになる（第5段落）。

このことから筆者は、男性が懐かしがる「おふくろの味」など、今はとうてい再現できない味なのだ、と述べている。

1：この文章のテーマは里芋ではない。

2：おふくろの味にもの珍しさを感じているのは筆者である。現代人ではない。

3：正解

4：今の料理が美味しくないのは、素材の味が違うからである。主婦の手抜きのせいではない。

🖊 練習4

リーダーシップ論について書かれた文章である。

「ここ十年くらい」と「いま」の対比に注目し、なぜ今「リーダーシップ論」が再燃してきたのかを読み取る。

・ここ10年くらい、日本の組織は古い構造を壊そうとし、「個人化」「自由化」の方向に進めようとしてきた。上からの支配や管理は「悪」と見なされたため、「リーダーシップ論」ははやらなかった（第2〜3段落）。

・今は、「個人化」「自由化」が進みすぎて、自分一人では「どうしていいかわからなくなってきた」人が増えた（最後の段落）。

そのため、多くの人々がリーダー（＝どうしたらいいか教えてくれる人）に支配されたいと考えるようになったのである（第1段落）。

筆者は、この人々の心理の変化が今の「リーダーシップ論」人気の理由だと述べている。

1：正解

2：個人化が進んでいないのではない。「あまりに進みすぎた」と書かれている。

3：組織が管理を強めはじめているとは書かれていない。

4：人びとは能力の高いリーダーを求めているわけではない。

🖊 練習5

筆者の幼稚園時代の思い出について書かれた文章である。

「地獄」の言い換えが何かをつかみ、どんな思い出かを読み取る。

「地獄」＝幼稚園の「「お弁当室」と呼ばれる部屋の戸口の床の、…そこだけタイルの色が変わっている部分」

園児たちは「みんな決死の覚悟で「地獄」を飛び越えた」のである。

1：「地獄」は床の一部であって、部屋ではない。

2：床を踏まなければいけなかったのではなく、踏まないように飛び越えていた。

3：先生たちが考えていたのではなく、園児たちが考えていた。

4：正解

練習6

デパートへ行くという昭和40年代の娯楽について書かれた文章である。

言い換えに注目して、デパートに行くとはどんなことだったかをつかむ。

「家族そろってデパートへ出かける」＝「日曜日の娯楽」＝「おでかけ」(第1〜2段落)

「おでかけ」のときは「「よそゆき」でめかしこんで」＝「ハンドバッグ…帽子…ベルトつきの靴をはく」。つまり、おしゃれをしていた(第2段落)。

当時の「おしゃれ」は「白いものは白く、…ぜいたくな衣装で着飾ることではなかった」(第3段落)。

つまり、洗濯された服を着、磨いた靴を履くなど、清潔できちんとした服装を身につけて家族でデパートへ出かけることが、昭和40年代の娯楽だったのである。

1：毎週出かけるとは書かれていない。デパートは特別な場所で、日常的な場所ではない。

2：「白いものは白く、磨くべきものは磨き」は服装を指す。家事を済ませる意味ではない。

3：正解

4：当時のおしゃれは「ぜいたくな衣装で着飾ることではなかった」と書かれている。

練習7

医学と医療について書かれた文章である。

言い換えに注目して、筆者の考えを読み取る。

「医学や医療が生まれ発達してきたのは、人間に幸福をもたらすためである」

「医学医療」＝「幸福のためのインフラ」

「インフラ」＝「安定供給」が必要なもの

つまり、筆者は「医学医療」は安定供給されるべきだと考えている。

1：水や電気はインフラの具体例。医学医療が水や電気の上に存在すべきなのではない。

2：医学や医療の発展ではなく、「安定供給」を主張している。

3：いかに幸せに生きるかを考えるべきだとは書かれていない。

4：正解(幸福な生活の基礎＝幸福のためのインフラ)

練習8

筆者が銭湯で感じることについて書かれた文章である。

筆者が銭湯で感じると言う「気分」を、言い換えに注目して追っていく。

「なんだか落ち着かない、そわそわしたような気分」もあった(第1段落)。

「赤ん坊を見ては…と思う」「胸のしっかり膨らんだ体を見て…と複雑な気分…」「老女の体を見て、…としみじみ感じる」(第2段落)

＝「たくさんの体がすべて自分の体で…、繋がっているのだと思えてくる」(第2段落)

＝「「このわたし」なんてものは個人を超えた大きなものの、やっぱり一瞬間でしかないような気持

ち」になる（第3段落）。

つまり、筆者は、銭湯でさまざまな世代の裸を見て、自分は大きなものの一瞬間に過ぎないと感じ

るのである。

1：老女の体を「わたしの体の未来」と感じているが、これを悲しいとは言っていない。

2：不完全なものであると感じたとは書かれていない。

3：正解

4：少女と自分、老女と自分、という繋がりについて「不思議」だと述べている。少女から老女への
　　体型の変化が不思議なのではない。

練習9

赤ちゃんの笑いについて書かれた文章である。

筆者は赤ちゃんの笑いをどう考えているか、言い換えを追って読み取る。

「赤ちゃんが…生まれて初めて見せる笑い」＝「エンジェル・スマイル」

＝「赤ちゃんがこの世に出てきて、初めて親に示す挨拶」

＝「親を喜ばせ、よろしくお願いしますというサイン」＝「新生児微笑」

赤ちゃんは笑うことで親と良い関係を作ろうとしている。つまり、赤ちゃんが笑うのは、生きるた
めに世話をしてもらう必要があるからである。

筆者は、この新生児微笑が「人間の遺伝子に刷り込まれてある」＝「人間が生得的に備えた」能力で
あると考えている。

1：「生理的痙攣であると言う人がいる」が、これは筆者の考えではない。

2：正解（「現れ」＝「顕在化」）

3：筆者は科学的な分析を行っていない。

4：その表現は「言い得て妙」と書かれている。誤解は含まれていない。

練習10

リーダーについて書かれた文章である。

「おびただしくチームの足並みを乱す要因」（第1段落）となる「あるメンバー」がいた場合、リー
ダーはまず何をするべきか読み取る。まとめると、次のようになる。

リーダーは、「あるメンバー」（＝「周りのメンバーからNOを突きつけられた人」）を外す勇気が必
要だ（第2段落）。ただし、軽々しく外してはいけない。まず、その人（＝「周りとかみ合わない人」
＝「本人」）を変えていく（第3段落）。その人（＝「他のメンバーの反応がよくない人」）と何度も話
し合い、改善されなければ外す（第4段落）。

第4段落後半の「つまり」以下が、それまでの内容のまとめ（＝言い換え）となっている。

「メンバーを外すなら」「まずあなた（＝リーダー）が」「その人に何度も働きかけることが先」だと書

かれている。

1：正解

2：リーダーは「外すという決断」ができる。辞めさせる権利はある。

3：メンバー全員で話し合うのではない。問題のあるメンバーとリーダーが1対1で話し合うのである。

4：メンバーを改善できなければ、その人を外すことが必要だと書かれている。周囲の意見を聞くのではない。

練習11

人間についての筆者の考えを読み取る。

美しく輝く「星」は、「輝いている人間（＝成功して、すばらしい人生を送っている人）」の比喩である。

「何千光年という遠くの地球から見れば」＝「端から見れば」

「何億度という熱で燃えている」＝大変つらい思いをしている

つまり、成功している人間は羨ましく見えるが、実は本人は大変つらい思いをしているのだという内容である。

1：燃え尽きてしまう運命にあるとは書かれていない。

2：正解

3：筆者が実感できるのは、生きる情熱ではなく、輝いているのが辛いということである。

4：体が熱くなるというのは比喩であって、物理的な「熱」という意味ではない。

練習12

鼻の役割についての筆者の考えを読み取る。

「門衛小屋」は、「鼻」の比喩である。

「小屋の建築の見てくれの美観」＝鼻の形の美しさ

「門衛の失職する心配」＝鼻の役割（匂いで、体内に侵入しようとするものを点検し、あやしいものを拒絶する役割）がなくなる心配

つまり、人は鼻の形の美しさばかりを気にするが、それでも、今後も鼻の役割がなくなることはないだろう、という内容である。

1：正解

2：現代では「見てくれの美観だけが問題になる」が、筆者の言いたいことは、それでも鼻の役割はなくならない、ということである。

3：筆者の言いたいことは、鼻の役割とは何かということだけではない。

4：大切にするべきだ、とは書かれていない。

箱根で「くつろぐ」ことについて書かれた文章である。

「建物が物を言う」「ドアも、…すべてが語り出す」は、建物やドアを人間にたとえている。

「物を言う」「語り出す」＝筆者に（「家内が居なくなったことを」）伝える＝感じさせる

つまり、箱根のホテルは、妻はもういないという事実を強く感じさせる場所である。そのため、筆者はそのホテルでくつろげなくなってしまったと述べている。

1：妻は留守がちではなく、「居なくなった」と書かれている。

2：ホテルがうるさいとは書かれていない。「物を言う」「語り出す」というのは建物やドアが本当に声を出して話すという意味ではない。

3：新鮮に思われるとは書かれていない。

4：正解

短編小説についての筆者の考えを読み取る。

「宝物」は「素晴らしい短編小説」の比喩である。

「宝石箱にしまい」＝自分だけのものにして、だれにも知られないように大切に隠しておく

「裏庭の片隅にひっそりと湧き出ている泉の底」＝自分の近くだが、普段は目に触れず、また、ほかの人に知られることもない場所

つまり、すばらしい短編小説は、自分一人で味わい、特別なとき（＝つらいとき）に読み返すと安心する大切なものだという内容である。

1：宝石箱は比喩である。本当に箱に入れるのではない。

2：長編小説のほうが価値が認められているとは書かれていない。

3：正解

4：人に小説の名前を教えるかどうかではなく、筆者にとって素晴らしい短編小説がどんなものかが、この文章のテーマである。

装飾という面から見た、人間と動物との違いについて書かれた文章である。

疑問提示文に注目して、筆者の考えを読み取る。

「人間と動物との決定的な違いは、どういう点にあるのであろうか」

　　→答え：「人間が服を脱ぐことができる点にある」（第2段落）

　　　　＝「…服を着たり脱いだりすることができる自由、…服を脱ぎ替える自由をもっている点にある」（第3段落）

　　　　＝「…自由にこれを採用したり捨てたりすることができる」（第5段落）

つまり、人間は、装飾を取ったりつけたりできる自由をもつ点が、動物と違うのである。

1：動物について述べた文章ではない。テーマは人間と動物との「違い」である。

2：「パラドックス」はエリック・ギルの意見に対する筆者のコメントで、この文章のテーマではない。

3：正解

4：「異性との交友」を装飾と捉える見方は筆者の見方で、それが一般的かどうかは書かれていない。

練習16

自由について書かれた文章である。疑問提示文に注目して、筆者の考えを読み取る。

「一般に自由はどのように捉えられているだろう？」(第1段落)

　→答え：「決められたスケジュールがない状態」(第2段落)

　　　　＝「支配からの解放」(第5段落)

「はたして、これが本当の自由だろうか？」(第4段落)(反語→本文p.31)

　→答え：いや、自由ではない(反語に含まれた筆者の主張)

「解放されたことで何ができるのか、といった「自由の活用」へは考えが及んでいないように見える(第5段落)」からも、自由は解放であるという考えに否定的な筆者の主張が読み取れる。

1：「必ずしも、「自由」は素晴らしい意味には使われていない」とあり、価値あるものと捉えられているのではない。

2：これは一般的な考え方であって、筆者の考えではない。

3：何もしたくなくなってしまうとは書かれていない。

4：正解

練習17

行動の原因について述べた文章である。

疑問提示文に注目して、一般的な答えと、それに対する筆者の考え方を追っていく。

「たとえば…のはなぜなのか」(第1段落)

　→多くの人の答え：「意志が弱い」から(第2段落)

　　　　　　　　：「意志の弱さ」「やる気のなさ」「引っ込み思案な性格」(第3段落)

「意志とか、やる気とか、性格というのはいったい何なのだろう」(第3段落)

＝「なぜ、その人(＝タバコがやめられない人)の意志は弱いといえるのだろうか」(第4段落)

　→答え：意志が弱いのは、「タバコをやめようと思っているのにやめられないから」

この一般的な答えについて、筆者は「どこか変ではないか(第4段落)」と述べている。

つまり、多くの人は行動の原因を「意志」や「やる気」や「性格」のせいだと考えているが、これは論

理的に変だ、ということである。

1：多くの人の考えを述べたいのではない。

2：正解

3：禁煙の話は例である。

4：説明することができないとは書かれていない。

練習18

頭が整理されることと眠ることの関係を述べた文章である。

指示語を含む文を見る。

①それとは「妨げられると、寝ざめが悪く、頭が重い」ものである。

①それとは何か、さかのぼって探す。対比に注目する。

・「朝目をさまして、気分爽快である」←夜の間に、頭の中が整理されているから

・「[朝]寝ざめが悪く、頭が重い」←それが妨げられる（＝頭の中が整理されていない）から

「整理」とはどういうことか、さかのぼって見る。

「記憶しておくべきこと、すなわち、倉庫に入れるべきものと、処分してしまってよいもの、忘れるものとの区分けが行なわれる。自然忘却である。」

つまり、記憶すべきことだけを残し、要らないものは忘れるということである。

1：記憶しておくことではなく、記憶すべきか忘れるべきかの「区分け」をすることである。

2：気分爽快に目覚めるのは「それ」が妨げられなかったときである。「それ」ではない。

3：整頓するために思考するとは書かれていない。

4：正解

練習19

ボランタリーな活動に向かう若者の意識について書かれた文章である。

指示語を含む文を見る。

①こういう意識とは「若者を…ボランタリーな活動に向かわせている」意識である。「こういう」が何を指しているのか、その前の部分から探す。

こういう（若者をボランタリーな活動に向かわせている）意識

＝「生きがいを見つけたい」「充実感を…感じたい」「自分自身の居場所を見つけたい」といった願望が実現できるかもしれない、という意識

1：正解

2：もっと楽に生きたいという意識が若者にあるとは書かれていない。

3：「不況の中の豊かさ」「幸運な時代」は若者の意識ではない。

4：若者は「願望を実現できる」可能性をすでに感じとっている。感じとろうとするのではない。

旅行する理由について書かれた文章である。

指示語を含む文を見る。

①それは、旅行の「動機」であり、「存在理由」である。

①それが何を指すか、前の部分から探す。

→「そんなことしてても無意味だし、キリないじゃないか」

→「そして彼女はそれをやめることができなくなってしまう」

彼女がやめられなくなってしまうことの具体例を見る。

それ＝アクロポリスの柱に触る、死海の水に足をつける、など

つまり、実際に現地へ行き、触り、体験することを指す。

１：自由については書かれていない。

２：「やめることができなくなってしまう」とは書かれているが、旅を続けたいとは書かれていない。

３：**正解**（現実的な感触＝実際に触り、体験すること）

４：無意味な行動がしたいとは書かれていない。

愛情には、束縛やコントロールが含まれると論じた文章である。

指示語を含む文を見る。

①そんな図式とは「監督と俳優との間にも成立する」「アスリートとコーチとの関係にも似たところがありそうな」図式である。

図式の内容を前の部分（陶芸家の師匠と弟子の関係）から探す。

直前の文にある「尊敬する師匠にコントロールされることが、ひたすら嬉しく感じられそうに思える」を指す。

１：指導者の気持ちについては書かれていない。

２：**正解**（指導者＝師匠）

３：弟子が指導者をコントロールするかどうかは書かれていない。

４：弟子と指導者がコントロールし合うとは書かれていない。

裁判官の仕事に必要なことについて書かれた文章である。

下線部を含む文の構造を見る。

対比に注目する。

・「争っている者たちは主観的な意見や…をぶつけあうかもしれないが、」

・「[Aは]…「主観的な意見」と「客観的な事実」とを①区別することから始める必要があるのだ。」

①下線部の主語は、省略部分Aつまり、「争っている者たち」と対比される語である。さかのぼって
Aを探す。

→「争っている本人たちだけでなく、…第三者も納得する判断が[Aに]求められる。」

→「[Aの]示す判断は…」

つまり、Aは判断を示す人であり、裁判官を指す。A＝裁判官

1：正解

練習23

今の労働者の状況について書かれた文章である。

下線部を含む文を見る。対比に注目する。

・今の50代、60代＝会社に守られて生きてきた＝「[Aを]知らなくて済んだ世代」
・今の若者たち＝自分たちで生活を守らなければならない＝「[Aを]①知らざるを得ない世代」

Aは何か、さかのぼって探す。

「自分たちの働き方のなかに「法律違反」があるかを知り、その救済手段を知る…」

つまり、会社での仕事に違法性がないか、そして、違法性がある場合はどうすればいいかを、若者
は知っておく必要があるということである。

1：自分たち、つまり若者は貧しいとは書かれていない。
2：「NO!」と言える労働者になれないとは書かれていない。
3：人生設計をするとき、何をすべきかは書かれていない。

4：正解

練習24

テレビ局に寄せられる「視聴者の声」について書かれた文章である。

下線部の文の構造を見る。

[Aは][Bに対して]「①もっときちんとした服装を心がけろ」(と言った)

だれが、だれに対して言った言葉なのか、さかのぼってA、Bを探す。

「さっそく非難が殺到した。アナウンサーのいで立ち(＝服装)がだらしないというのだ。」とあるの
で、①下線部は視聴者がアナウンサーに対して言った非難の言葉だとわかる。

A＝視聴者　　B＝アナウンサー

つまり、①下線部は「視聴者の声」(第1段落)の例である。

2：正解

練習25

不幸感というものについて書かれた文章である。

下線部を含む文を見る。

「自分が誰よりも不幸に思えてきて、周囲の人が抱えている痛みには鈍感になり、①人間関係にも悪影響を及ぼしてしまいかねません。」

何をすると、自分が不幸に思えてくるのか。さかのぼって探す。

→「そうして自分の苦悩にばかりアンテナを向けていると、…なり、…失われていく。」

→「「私ってかわいそう」という思いにとらわれると、心のアンテナが内向きになります。」

「私ってかわいそう」という思いにとらわれる＝自己憐憫にとらわれる

つまり、自己憐憫にとらわれることが、人間関係に悪影響を及ぼすのである。

1：「問題を認めれば、自尊心が傷つきます」と書かれているが、人間関係への影響は書かれていない。

2：不幸の責任を他人に押しつけることは、第2段落の最後の文の言い換えである。このことが人間関係に悪影響を及ぼすとは書かれていない。

3：自分の内面を隠すということは書かれていない。

4：正解

練習26

小中学校の国語の教科書を批判している文章である。

「ハンバーガー」は比喩である。何の比喩なのか、対比（「硬い」と「柔らかい」）に注目して読み取る。

・「硬くて栄養のある言葉」＝難しくて、読む力を鍛える文章

・「ファーストフードのような柔らかいもの」＝「ハンバーガー」＝易しくて、読む力を鍛えることのできない文章

つまり、国語教科書が易しく幼稚な文章ばかりなので、これでは子どもの読む力が鍛えられない、と筆者は批判しているのである。

1：「ハンバーガー」は、アメリカ文化の比喩ではない。

2：「幼稚な文章」は、子どもが書いた文章という意味ではない。

3：グローバル化に逆行していることは「ハンバーガー」の比喩とは関係がない。

4：正解

練習27

管理のあり方について書かれた文章である。

対比（「…場合」と「…とき」）に注目して、下線部を含む文を見る。

・「本当に管理がいい加減である場合は［Ａが］責められても仕方がないと思いますが」

・「…未知の問題であったりするときなどは①違います。」

つまり、①違います＝Aが責められるのはおかしい、という意味である。

Aがだれか、さかのぼって探す。

「いまの日本社会では…管理者が徹底的に責められる風潮があります。」（1〜2行目）

A＝管理者

「①違います」＝管理者が責められるのはおかしい

1：正解

2：被害者が責められるケースについては書かれていない。

3：「違います」は「責められるのは仕方がない」の対比で、「危険の排除」の対比ではない。

4：「違います」は「危険の管理」の対比ではない。

練習28

ある「一群の人々」について書かれた文章である。

下線部を含む文を見る。

「人々は、そのことが好きで…①小さな縦穴を深く掘り続けている、という点だけを共有している。」

「人々」と「そのこと」が何を指すか、さかのぼって探す。

「人々」＝「どんなささいなことがらについてでも、それを愛し、そのことについて調べたり、試したりしている一群の人々」

「そのこと」＝「ささいなことがら」

つまり、人々が共有している点は、あるささいなことがらについて、調べたり、試したりしている

ことである。

①下線部は比喩なので、この答えが比喩の言い換えになっているどうか、確かめる。

小さな縦穴を＝ささいなことがらを

深く掘り続けている＝深く調べたり、試したりし続けている

1：数少ない仲間を探すことは、小さな縦穴を深く掘る、という比喩に合わない。

2：正解

3：情報を交換していることだけを、深く掘る、と言っているのではない。

4：本当に穴を掘っているわけではない。

練習29

日本人と欧米人の脳のモード差について書かれた文章である。

下線部を含む文の構造を見る。

「同時通訳をしていると、スピーカーの①脳のモード差がモロに体感できること。」

下線部の「脳」はスピーカー（＝話し手）の脳を指す。その前の文「日本人が欧米人に較べて、情報

を非論理的に羅列する傾向が強い」から、「差」は日本人と欧米人の差を指すことがわかる。日本人と欧米人の対比を見る。

・日本人：情報を非論理的に羅列する傾向が強い→通訳時に「記憶力が拒絶反応を起こす」＝覚えにくい

・欧米人：論理的に話す→通訳時に「スルスルと容易に覚えられる」＝覚えやすい

つまり、筆者が体感する「脳のモード差」とは、話し手の話し方が論理モード（＝欧米人の傾向）か、非論理的な羅列モード（＝日本人の傾向）か、という差を指す。

1：知識の試し方の差は、筆者が「脳のモード差」の要因と考えていることである。

2：正解

3：覚えやすさの差は、筆者がスピーカーの「脳のモード差」に気づいたきっかけである。

4：通訳者とスピーカーの差ではない。

⧄ 練習30

「時効」という制度について書かれた文章である。

下線部を含む文を見る。

「「①権利の上にねむる者」という［末弘先生の］言葉が妙に強く印象に残りました。」

①下線部がどのような人を指すか見る。

「権利の上に長くねむっている者」＝金を返せと催促しない貸し手（＝「気の弱い善人の貸し手」）

このような貸し手は「民法の保護に値しない」というのが末弘先生の言葉である。

筆者はこの話を「たんに自分は債権者であるという位置に安住していると、ついには債権を喪失する」と言い換えている。

つまり、「①権利の上にねむる者」とは、債権者であることに安心してしまい（＝権利の上に）、金を返してもらうための行動を何もしない（＝ねむる）貸し手である。

1：借り手は権利を持つ者ではない。

2：「ネコババをきめこむ不心得者」は借り手を指す。

3：時効を知っているかどうかについては書かれていない。

4：正解

⧄ 練習31

動物の構造や機能の発達について書かれた文章である。

下線部を含む文を見る。

「感覚器官、脳神経系の発達にしても、①おなじかんがえかたができるであろう。」

これより前の部分から、発達についての筆者の考えを読み取る。

「人間の社会をゆるぎないものにするために、音声言語が発達したという意味ではない。社会は結

果であり、目的ではなかった。」(第1段落)

「動物というものは、目的論的にすべて説明できるわけではない。」(第2段落)

「人間についても…ながい進化の歴史的結果であるというだけのことである。」(第2段落)

つまり、感覚器官や脳神経系も、結果として今のようになっているだけで、今のようになろうと目指して発達してきたわけではないというのが①下線部の「かんがえかた」である。

1：なんらかの目的に到達しようとはしていない。

2：環境への適応を目的とはしていない。

3：正解

4：長い時間が必要だとは書かれていない。

練習32

学者と研究について書かれた文章である。

理由の表現はないので、文章全体から①学者は馬鹿でなければならないの理由を読み取る。

頭が良い人は先にある困難さや障害が見えてしまうので、成果が出ないと予測した研究はやらない。しかし、

「行き詰まりになっているはずの道でも」＝行き詰まってしまうと予測できる研究でも

「ふいと右へ行く道を発見したりする」＝思いがけない解決方法が見つかる

つまり、研究は実際にやってみないと成果が出るかどうかわからない。行き詰まりを予測して研究を避ける者は、良い学者ではないということである。

1：研究のことしか考えていない、とは書かれていない。

2：克服できないとは書かれていない。

3：正解（予測力＝「前途にある困難さや障害や行き詰まりが見えてしまう」こと）

4：「行き詰まりが見えてしまう」とは、研究の前に「行き詰まり」を予測するということである。研究をして行き詰まるとは書かれていない。

練習33

疲労について書かれた文章である。

理由を示す表現に注目し、①精神の疲労に主役が交代した理由を探す。

「そのために精神的な疲労が主役としてスポットライトをあびるようになってきた。」

「その」の指す内容をさかのぼって探す。

「その」＝「高度に機械化された社会では、…労働条件におかれている。」

つまり、機械化によって単純で動きのない作業（＝筋肉を使わない労働）が中心になったため、筋肉の疲労が減り、精神の疲労が増えたのである。

1：善玉疲労と悪玉疲労のどちらが多いかはわからない。（精神的な疲労が善玉疲労だとは書かれ

（ていない。）

2：悪玉疲労から逃れる「方策として生まれた」と書かれているが、実際に逃れられたとは書かれていない。

3：正解

4：「交代した」と言っているので、筋肉疲労に加えて、とは言えない。

練習34

植物細胞と動物細胞について書かれた文章である。

①このことの意味は大きいの指示語「このこと」が何を指すか探す。

「このこと」＝植物細胞は細胞壁で囲まれていること

細胞壁で囲まれていることが重要である理由を探す。

植物細胞と動物細胞の対比に注目。

- 植物細胞：堅い細胞壁＝細胞を積み上げられる＝大きく成長できる
- 動物細胞：弱くて薄い原形質膜の外壁＝積み上げられない＝骨がないと成長できない

つまり、堅い細胞壁のおかげで、植物は骨がなくても大きく成長できるのである。

1：細胞壁が生まれた理由は書かれていない。

2：正解

3：堅い細胞がやわらかくなるとは書かれていない。

4：動物には細胞壁はない。

練習35

筆者が驚かされた白鳥について書かれた文章である。

①白鳥におどろかされた理由を、文章全体から読み取る。

- 実際の白鳥：品がなく餌を催促する、乱暴な行動。鋭い目つき。たくましい下半身。
- 白鳥の一般的なイメージ：美しく、優雅。

つまり、筆者はこの差（＝白鳥の二重人格）に驚いたのである。

1：正解

2：音もなく泳ぐことにおどろいたのではない。

3：上陸してきたことだけが理由ではない。

4：餌をねだったことだけが理由ではない。

練習36

機会の平等性の二つの原則について書かれた文章である。

下線部を含む文を見て、「機会の平等性」の「二つの原則」が何を指すか探す。

「全員参加の原則」＝だれでも候補者となる機会が与えられる

「非差別の原則」＝選抜の際、個人の資質で差別されない

個人の資質とは「男性か女性か、若いか年寄りか」など、努力では変えられない条件である。

①機会の平等性が与えられていない例が問われているので、二つの原則に反しているものを選ぶ。

１：営業成績は個人の資質ではないので、原則に反していない。

２：親の所得にかかわらず、候補者となる機会が与えられるので、原則に反していない。

３：入学試験の成績は個人の資質による差別とは言えないので、原則に反していない。

４：正解（「日本国籍を持っていない人が受験できない」のは全員参加の原則に反する。）

練習37

言葉の機能について書かれた文章である。

①嘘をつくことの意味をつかむ。

「言葉の機能とは、ある意味で、①嘘をつくことにあると言ってもいい。」

その機能を説明している部分を探す。

「実際には存在しない物も、その名を言えば、それは存在する物として通用する」

「「水をください」と言うために、実際の水は必要ない」

「実際にはありもしない話も、うまく語れば、まるで本当であるかのように人には読まれる」

つまり、「実際には存在しない」ものを「語る」ことが、「嘘をつく」ことである。

１：その犬を見ながら話しているのだから、犬は目の前に存在している。

２：正解（自分が飼いたい犬は、そこには存在しないものである。）

３：育てている犬は実際に存在している。

４：本の言葉をそのまま書き写すことは「語る」ことではない。

練習38

思考の内化と外化について書かれた文章である。

「内化」と「外化」の対比に注目して、①外化の意味をつかむ。

・「内化」＝「知覚や運動がイメージとして心の中で行われるようになること」

    例：ソロバンの暗算、将棋や囲碁の盤面の再現

     数学の答えを、図も式も書かずにいきなり出すなど

・「外化」＝「心の中で行っている思考活動を、文字、記号、図などの形で外に出すこと」

つまり、①外化とは、頭の中で行っている活動を、外から確認できる形にすることである。

１：「外化」では、思考するのは自分である。コンピューターを使って数値を出す場合、自分は思考していない。

２：箸を持つという行動は、頭の中で行う活動ではない。

３：正解（文章を解釈するという思考の過程を、線や文字を使って形にしている。）

４：頭の中でイメージしているフォームは、外から確認できない。

🏁 練習39

「つきましては」の後を見る。

「つきましては、誠に不本意ながら…価格を改定をさせていただくことになりました。」

１：正解

２：価格の改定はすでに決まっており、今値上げしないよう努力しているのではない。

３：原材料が高騰したことは、状況説明の部分である。

４：品質の維持とサービスの向上は、終わりのあいさつとして書かれている。

🏁 練習40

「さて」の後、「お願い申し上げます」の前を見る。

「さて、…請求書ですが、…型番「DSK-BRN003」とすべきところを「DSK-BLK003」としてしまいました。…心よりお詫び申し上げます。正しい請求書を同封いたしましたので…ご確認のほどお願い申し上げます。」

１：感謝とご機嫌伺いはあいさつである。

２：古い請求書を送り返すようにとは書かれていない。

３：正解

４：間違っていたのは、納品した商品の型番ではなく、請求書に書いてある型番である。

🏁 練習41

「この度」の後を見る。

「この度、…山坂酒井線を廃止させていただくことになりました。」

１：利用に対する感謝は、単なるあいさつである。

２：正解

３：変更とは書かれていない。

４：乗車券払い戻し手数料のことは、この文章の主な目的ではない。

🏁 練習42

「【応募】」を見る。

１：8月27日に、書類を持って面接に行くのではない。

２：8月27日までにメールでアポイントを取るのではない。指定された日に書類を持って面接に
　　行くのではない。

3：正解

4：書類は郵送するのではない。

練習43

「応募方法」「■応募期間」を見る。

1：正解

2：11月1日までではない。会員登録は必要である。

3：登録料はかからない。

4：買い物はしなくてもよい。会員登録は応募の前にしなければならない。

練習44

「尚、チケット代金の払い戻しを希望されるお客様は」の後を見る。

1：正解

2：チケット郵送先は (株) ANTONIO である。

3：チケット送付は郵便で行う。

4：郵便代金は口座に振り込まれる。

練習45

「【受付期間】」「【受付場所】」「【注意事項】」を見る。

1：品物を送ってはいけない。

2：正解

3：取りに来てくれない。

4：18日は受付期間ではない。

練習46

キーワード「コピー用紙」を探す。

「リサイクルできる古紙 (コピー用紙、シュレッダー紙ごみ) であることを確認の上、指定の収集袋に必ず部署名、電話番号を明記して、…出してください。」

1：束ねて、ヒモで縛るのではない。

2：正解

3：所属部署だけでなく電話番号も必要である。ヒモで縛る必要はない。

4：新聞紙、広告などは収集袋に入れてはいけない。

練習47

順番を示す番号、太い字、下線に注目する。

1：正解

2：洗剤と柔軟剤は自動的に投入される。乾燥延長のための100円は乾燥が始まってから入れる。

3：乾燥延長のための100円は乾燥が始まってから入れる。

4：ドラム洗浄は、洗濯物を入れる前に行う。

練習48

「※豆ご飯を作るには」を見る。「水を入れるとき」「15分加熱した後」を手がかりに、本文2、3、6、7の普通のご飯の炊き方と、豆ご飯の作り方の違いがどこにあるか探す。

1：2の手順は同じである。6も同じである。豆を入れるのは、7の容器を取り出した後である。

2：2の手順は同じである。

3：6は同じである。豆を入れるのは、7の容器を取り出した後である。

4：正解

練習49

1000円の商品券5枚で3800円の買い物をするには、3枚使って800円の差額を支払うか、4枚使って200円のおつりをもらう必要がある。キーワード「おつり」「差額」を探す。（つり銭＝おつり）

1：つり銭は返すことができないと書かれている。

2：つり銭は返すことができないと書かれている。

3：正解

4：ABCカードのポイントで差額を払えるとは書かれていない。

練習50

選択肢の中から条件に合うものを探す。

上映開始時間、上映時間、駅から映画館までの行き帰りに必要な時間を見る。

ラブストーリーかコメディーを探す。

☆の数がより多いものを選ぶ。

1：条件は合うが、3より☆が少ない。

2：ラブストーリー、コメディーではない。

3：正解

4：最初から最後まで見ると、待ち合わせの時間に遅れる。

友人とは何かということについて書かれた文章である。

問1

①友人とはなんぞや（＝友人とは何だろうか）という質問に対する河合隼雄さんの答えは

「夜中の十二時に、自動車のトランクに死体をいれて持ってきて、どうしようかと言ったとき、黙って話に乗ってくれる人」である。

つまり、たとえ異常な状況でも、責めたり逃げたりせず、「黙って話に乗ってくれる（＝余計なことは言わずに、話を聞いて協力してくれる）」人が友人である。

1：遊びにきてくれるかどうかは書かれていない。

2：正解

3：新しい刺激を与えるとは書かれていない。「刺激的」であるというのは、河合隼雄さんの話に対する筆者の感想である。

4：死体は単なる例。勇気を出すことではなく、どんな状況でも「話に乗ってくれる」ことが大切である。

問2

「あげくに②トイレで食べる者もいる」とあるので、②トイレで食べるのは、その前の「周囲の目が気になって、学食で一人で食べられない」の極端な例である。

周囲の目が気になるのは、「友達がいない寂しさより、いない恥ずかしさに耐えられない」「「暗いやつ」と見られたくない」からである。

つまり、「一人で」食べているのを人に見られると、「友達がいない」ことが人に知られてしまい、「暗いやつ」だと思われるかもしれない。それを避けるため、だれにも見られずに済む「トイレ」で食べるのである。

1：正解

2：自分の食べる物、食べる姿に自信がないとは書かれていない。

3：寂しさより、友達がいないことを人に知られる「恥ずかしさ」のほうが問題だと書かれている。

4：友達に嫌われてしまうからではない。トイレで食べる人に、友達はいない。

問3

「（筆者は）③造花を飾って安らぐ心の内が…気にかかる。」

「心の内」とは、「携帯電話に何百人も「友達」を登録して、精神安定剤にする学生」の心の内である。

「造花」が何の比喩であるか考える。

「友情とは成長の遅い植物のようなもの」との対比から、「造花（＝植物に見えるが、全く成長しな

い偽物の花）」は、友情に見えるが、本当の友情にはならないものの比喩だとわかる。

つまり、筆者は、携帯電話に何百人も登録している「友達」は、本当の友人ではないと考えている

のである。

1：正解

2：長く美しい関係が続けられる、という良い意味では使われていない。

3：「造花」は「友達」の比喩である。

4：「造花」は「友達」の比喩である。

練習52

日本の時計や時間制度の歴史について書かれた文章である。

問1

「この天智天皇の水時計は「①漏刻」と呼ばれ、四角い箱を階段状に重ねたような構造をしていたも

のと考えられています。」

つまり、「①漏刻」＝天智天皇の水時計＝四角い箱を階段状に重ねたような構造を持つ時計

天智天皇の水時計とはどんな時計か、さかのぼって探す。

天智天皇の水時計＝天智天皇が飛鳥において作らせた時計＝日本で本格的に作られた最初の時計

1：正解

2：鐘や太鼓は、水時計でわかった時刻を民衆に知らせるときに使われた。時計に付いていたわけ

　　ではない。

3：時計の構造が階段に似ていたのであって、時計を階段の上に並べたのではない。

4：世界で初めて作られたかどうかは書かれていない。

問2

「現在、この日は「②時の記念日」とされています。」

「この日」＝太陽暦6月10日＝太陰暦4月25日＝漏刻が設置された日

1：記録が発見された日がいつであるかは書かれていない。

2：正解

3：民衆に告げられたのは時刻。漏刻を作らせたことが告げられたとは書かれていない。

4：太陰暦から太陽暦に変わった日がいつであるかは書かれていない。

問3

「つまり、③いっときの長さは、春分の日と秋分の日は、現代の時間の単位でいう2時間にあたり

ますが、夏至に近ければ昼のいっときは2時間より長く、夜のいっときは2時間よりも短くなりま

す。冬至に近ければ、その逆になります。」

春分の日と秋分の日＝昼と夜の長さが同じ＝昼も夜も「いっとき」は2時間

夏至に近い日＝昼のほうが長い＝昼の「いっとき」は、2時間より長い

冬至に近い日＝昼のほうが短い＝昼の「いっとき」は、2時間より短い

1日の長さは変わらないので、

夏の「いっとき」：昼は2時間より長く、夜は2時間より短い

冬の「いっとき」：昼は2時間より短く、夜は2時間より長い　となる。

1：冬は、夏より昼の「いっとき」が短い。

2：正解

3：「いっとき」の長さは、昼と夜で変わる。

4：「いっとき」の長さは、季節によって変化する。

練習53

子どもの虐待と親の役割について書かれた文章である。

問1

「なすすべはあるはずなのに、（なすすべは）①機能していない。」

ここでの「なすすべ（＝する方法）」は、近所の人が通報する、児童相談所が子どもを預かるなどの

虐待から子どもを守る方法である。

つまり、「機能していない」は虐待から子どもを守る方法がうまく働いていないということである。

2：正解

問2

「「②社会が子どもを守る」などというが、それは美しい話で、子どもの生殺与奪の権は最終的には

親が握っている、と私は考える。」

筆者は「それ」（＝「社会が子どもを守る」ということ）は「美しい話」（＝だれもがすばらしいと感じ

る話）だと言っているが、しかし最終的に子どもをどうするかは、「親」が決めるのだと述べている。

つまり、筆者は「社会が子どもを守る」というのは、理想論であって、現実はそうではないと考え

ているのである。

1：美しい心を育てるとは書かれていない。

2：言葉としてはすばらしいが、実際には難しいと考えている。

3：正解

4：当然の話だとは書かれていない。

問3

「そういう意味で、③親になるエリート教育が求められるのである。」

「エリート」＝「人の命を預かる」人(第3段落)

「そういう意味で」＝人の命を預かった親には「他人に言えないことを黙って背負う忍耐」や「汚れ役を買って出る覚悟」が必要になるという意味で

親は子どもの命を預かる「エリート」であるが、虐待する親は、その「重い立場」に気づいていない。そのため、筆者は人の命を預かることの重大さを親に教えることが必要だと述べている。

１：エリートとは社会の成功者ではない。また子どもではなく親がエリートになるための教育である。

２：子どもの育て方の教育ではない。

３：豊かで愛情あふれる生活が必要であることを教えるのではない。

４：正解

練習54

高次脳機能障害になった人が、「脳が壊れてもちゃんと生きていく」ために必要なことについて述べた文章である。

[問1]

「そのため、昔とった杵柄にしろ、叩けば出るほこりにしろ、①その人の歴史が浮かび上がってくるというのである。」

「その人」＝高次脳機能障害を持つ人

「昔とった杵柄にしろ、叩けば出るほこりにしろ」＝過去に身につけた技能も、弱点も

「①その人の歴史」の言い換えに注目する。

「その人の歴史とは、言い換えるなら、その人の積んできた経験だ」

つまり「その人の歴史」とは、高次脳機能障害を持つ人が、過去に積んできたすべての経験である。

１：正解

２：障害に至った経緯だけではない。

３：危機を乗り越えようとするのは脳である。また、歴史とは経験のことで、何かに書かれた記録ではない。

４：危機に至るまでの過程だけではない。

[問2]

下線部を含む文の省略部分を探す。

「[Aが]それをのちの人生で、必要に応じてうまく引き出しながら②使ってくれているのである。」

何が＝A、何を＝「それ」を探す。

「それ」＝しまいこまれ、長期間ストックされた経験＝記憶として保存された経験

この経験を保存しているのは「脳」である。

A＝脳

1：経験の記憶は、幸せな思い出だけではない。

2：正解

3：障害者の周囲の人々については書かれていない。

4：障害者の周囲の人々については書かれていない。

問3

「なんのために勉強するの」→ 答え「脳が壊れてもちゃんと生きていくためよ」

この答えの意味を、それ以降の文章から読み取る。

高次脳機能障害で脳が壊れても、過去の経験が記憶されていれば、脳は残された正常な機能を使って、危機を乗り越えてくれる。このためには脳に多くの記憶があることが重要である。

つまり、万一、脳が壊れても、残った部分で機能を補って生きていけるように、できるだけ多くの経験を積んでおくほうがいいのだ、というのがこの文章の内容である。

1：正解

2：経験は勉強に限らない。また、子どもに対してだけ言っているのではない。

3：高次脳機能障害にならないように、とは書かれていない。

4：人生の選択や決断をするときは、脳が自然に経験の記憶を引き出すのである。自分の経験を振り返って考えるべきだとは書かれていない。

練習55

母親が、幼い息子の行動について書いた文章である。

問1

「えさをまく」に関する息子の行動と発言に注目する。

小さい折り紙をぱぱっとまくことを「えさまいてるの！」、えさについては、「えさは、まくもの！」と言っている。

ここから、息子は「えさをまく」という表現全体を「まく＝小さい物を投げ散らす」と捉えていることがわかる。

1：正解

2：息子が「まく」ものだと思っているのは、動物のえさだけではない。

3：単に折り紙で遊ぶことではない。

4：敵を攻撃することとは思っていない。

問2

省略されている部分を探す。

「忍者の番組をテレビで見ていたら、［aが］同じように何かを②aぱぱぱっとやっていた。」

忍者の番組の中で「ぱぱぱっと」やるのは忍者。 a＝忍者

［イルカに何かをぱっぱっとやるのと］同じように［忍者が］何かをぱぱぱっとやる＝「えさをまいている！」

イルカにえさをまく動作と、忍者の動作（＝手裏剣を投げる）を同じと考えているのは息子である。
b＝息子

4：正解

問3

理由を問う問題。

「たまたま忍者だったから…理解していないということがわかった…」

しかし、もしイルカのぬいぐるみに対してだったら、息子が誤解していることがわからなかっただろう、と述べている。

つまり、ぬいぐるみでも、イルカに「えさをまく」ことは違和感がないが、「えさをまく忍者」はイメージできないので、おかしいと気づいたのである。

1：正解
2：自分が動物飼育員になったつもりとは書かれていない。
3：息子は、実際には、イルカのぬいぐるみにまく行為をしていない。
4：公園でおじいさんが鳩にえさをまいているのを見て、「えさをまいている」と言ったのは筆者。

問4

各段落の内容をつかむ。

第1〜7段落：息子が「えさをまく」という表現を誤解しているというエピソード。
最後の段落：　子どもの言葉は「意味が対応していないことも多い」。
　　　　　　　「最初にその言葉と出会った状況」が子どもの理解に大きく影響する。

つまり、息子の誤解に気づいて、筆者は子どもが言葉というものをどう理解しているかを知ったのである。

1：忍者を間違って理解しているとは書かれていない。
2：子どもの忍者遊びがテーマではない。忍者遊びのときに使われていた言葉がテーマである。
3：子どもは学習しているが、そこに間違いがあることがこの文章のテーマである。
4：正解

練習56

言葉の誤用について書かれた文章である。

「それが基準になり、聞き慣れない言葉や表現を耳にする」と、「①おかしい」と感じる。

「それ」＝「刷り込み」（＝自分が育つ中で身につけた言葉）

つまり、自分が育つ中で身につけた言葉とずれた言葉を聞いたとき、「おかしい」と感じる。

1：正解

2：「それ」は、社会的に当然と思われるものではない。

3：子どもっぽさについては書かれていない。

4：「刷り込み」表現と似た言葉ではなく、違う言葉を聞いたときである。

問2

第3〜4段落を見て内容を読み取る。漢字の対比（「障」と「触」）に注目する。

・「耳ざわり」は本来「耳障り」で否定的な語だった。

・「耳触り」という肯定的な語として使われるようになった。

「手触り」「舌触り」という（肯定的な）語があるので、「耳触り」もあると、勘違いされたからである。

1：「舌触り」「耳触り」は肯定的な語である。

2：「目障り」「耳障り」は否定的な語である。

3：勘違いから使うようになったのは「耳障り」ではなく「耳触り」である。

4：正解

問3

「ところが…などと言われると、状況によっては、③そんなこと知るか（＝そんなことを知っているはずがない）、押しつけがましいぞ、といった抵抗感が生じます。」

下線部の「そんなこと」は、「…などと言われる」話の内容、つまり「私って、4月生まれじゃないですか」「遠距離恋愛じゃないですか」を指す。これを知っているはずがない状況とは、相手が自分と親しくない場合である。

1：「私って、……じゃないですか」は家族や友人の言葉ではない。また、「そんなこと知るか」は「知っている」という意味ではない。

2：正解

3：相手が「4月生まれ」と知っていることは恥ずかしいことではない。

4：同じことをもう一度話しているという状況ではない。

問4

各段落の内容をつかむ。

第1〜2段落：人は「聞き慣れない言葉や表現」を「乱れている（＝誤用）」と感じる。「誤用」から

「正用」へと変化するケースも珍しくない。

第3～8段落：「耳ざわり」(誤用が正用に近づいている例)

「私って、○○じゃないですか」「すでにご承知のように」

(世代間で許容にズレがある例)

第9段落：　世代間のズレが、ある言葉の使い方を「乱れている」と感じさせる。

つまり、筆者は、言葉は変化するもので、ある世代には「誤用」と感じられたものも、時がたてば「正用」になることがある、という事実を述べている。

1：世代間で異なるという事実は述べているが、これを知るべきだとは書かれていない。

2：乱れていると感じたとき、どう行動したらいいかは書かれていない。

3：誤用もいずれ「正用へと向かうかもしれ」ないので、正用になりにくいとは言えない。

4：正解

練習57

「世界」と「宇宙」という言葉について書かれた文章である。

問1

①世界ということばを説明している部分を探す。

仏教によると「世＝時間の一くぎり」「界＝一定の空間のこと」(第2段落)

「つまり世界とは、時間と空間を一まとめにした範囲をさすことばであった」(第3段落)

1：地球上の地域全体を表すのは「みんな考えている」ことだが、本来の意味ではない。

2：時間の一くぎりを表すのは「世界」ではなく「世」である。

3：時間と空間を一まとめにした範囲を表すと考えるのは仏教で、西洋の考えではない。

4：正解

問2

「どうもわれわれは②世界や宇宙から時間を追い出してしまっているが、

そもそも人間をとりまく空間は、時間も重ね合わせたものだと考える方が正しい。」

「②世界や宇宙から時間を追い出」す考え方と「空間は、時間も重ね合わせたものだ」という考え方が対比されている。

続く文からこの対比の言い換えを読み取る。

・②世界や宇宙から時間を追い出す＝時間と空間は対立し合う＝教室で教えられてきたこと＝近代ヨーロッパの考え方

・空間と時間を重ね合わせて考える＝二つを一体のものと認識する＝アジアの考え方

つまり、今の学校では近代ヨーロッパの考え方しか教えていないため、「われわれ(＝今の日本人)」はアジアの考え方を知らないのである。

１：正解

２：アジアの考え方では、空間と時間を一体のものと認識している。

３：日本独自の考え方については書かれていない。

４：広い視野を持つ新しい考え方については書かれていない。

問3

「つまり千七百年も前から日本は、インドや中国とまったく同じように時間と空間をひと組のもの
と考え、③それぞれが、相手なくしては存在しないと思っていたのである。」

「相手なくしては存在しない」もの＝「ひと組のもの」＝時間と空間

つまり、③それぞれは、「時間と空間」を指す。

４：正解

問4

段落ごとに本文の内容をまとめる。

第１〜８段落：「世界」「宇宙」ということばは、アジアでは本来、時間と空間を一まとめにした
範囲を指す。時間と空間を対立したものと見るのは近代ヨーロッパの考えである。

第９〜10段落：日本でも、昔から時間と空間をひと組のものと考えていた。

第11〜12段落：「世界的」「宇宙的」に考えようと言うのなら、過去への観察や未来への希望（＝時
間）を視野に入れることが必要である。←筆者の主張

１：ことばの意味の違いを多くの人に知ってほしいとは書かれていない。

２：アジアとヨーロッパの考え方の差を意識すべきだとは書かれていない。

３：正解

４：世界的、宇宙的ということばをもっと使ったほうがいいとは書かれていない。

練習58

大人から見た子どもの異質性について書かれた文章である。

問1

子どもの異質性を「垂直」に見るか、「水平」に見るか、の対比に注目する。

・「水平」に対峙させる＝「文化を異にする者」として見る

・「垂直」に置き並べる＝「文化を先取る者」として見る

つまり、「垂直に置き並べる」とは、子どもを、次の時代（＝未来）の文化に属する者と捉えて、異
質性を考えるということである。

１：正解（どちらの文化が新しいか＝次の時代の文化に属するか、今の時代の文化に属するか）

言い換えと理由を示す表現に注目して、下線部に続く第3段落から理由を読み取る。

第3段落では「前者」が「②大人たちに許容されていた時代」の言い換えになっているので、その部分に注目する。

「前者の場合、…次の時代が予測可能であるため、大人たちは…許容し得たのであろう」とはっきり理由が示されている。変化の方向がはっきりしていて、しかも変化スピードが遅い場合は、大人にも次の時代がどうなるかという予測ができる。だから、次の時代を「先取る」子どもの言動が理解しやすく、許容しやすいのである。

１：「許容されていた時代」の変化の方向は不明確ではなく、明確である。

２：正解

３：コミュニケーションについては書かれていない。

４：差異には気づいている。その差異を許容するかどうかが問題である。

問3

「時々刻々、変化し続けるこの時代が、…「子ども」たちと、…「大人」たちと、この両者の共存を…③困難にしている」

変化し続けるこの時代が、子どもと大人の共存を困難にしているのである。

４：正解

問4

「大人」「子ども」の対比と、「許容されていた時代」「許容されていない時代」の対比に注目して全体をまとめる。

第1段落：　「大人」＝今の文化を生きるもの、「子ども」＝文化を「先取る」もの

第2～3段落：変化が緩やかな時代＝大人が子どもの言動を許容しやすい時代
　　　　　　変化が急激な時代＝大人が子どもの言動に不安を感じ、許容できない時代

第4段落：　いま、大人と子どもの関係が非常に難しくなっているのは、急激すぎる時代の変化に大人がついていけないことが原因であろう。

１：許容するべきだとは書かれていない。

２：大人の文化に反発している証拠だとは書かれていない。

３：正解

４：しかたがないとは書かれていない。

練習59

携帯電話を買ったり使ったりすることの意味について書かれた文章である。

「①携帯が脳味噌の一部になってしまったんじゃないかというくらい、あらゆることに携帯を使っ
ている。」

①下線部は「あらゆることに携帯を使っている」様子を表している。

あらゆることに携帯を使う＝「と話すところだけど、今の子は携帯で撮って送信する(第5段落)」
「道に迷っても、誰かに聞かずに、携帯のインターネットで調べる(第6段落)」「横断歩道を渡って
いるときも、…ときですら、携帯電話にかじりついている(第7段落)」

これはコミュニケーションや判断を、自分の頭を使う代わりに携帯電話にさせている例である。

1：正解

2：携帯電話の機能の使い方がわからないのではない。

3：携帯電話を持っていないと落ち着かないとは書かれていない。

4：携帯電話を使っているのであって、携帯電話のことを考えているのではない。

問2

「言葉を発するたびに漏れている[Aの]息が、[Bの目に]②札束に見えてるんじゃないか。」

「言葉を発する」とは、携帯で話すことである。A＝携帯を使っている人間

だれ(B)の目に札束に見えるのか、さかのぼって探す。

→「…とにかく携帯を使っている人間を見かけるたびに、[Bは]ほくそ笑んでいるに違いない。」

→「そしてそのたびに、どこかの誰か(＝B)のところに、世界中から金が集まっていく。その誰か
　(＝B)は、笑いが止まらないはずだ。」

→「誰かが誰かと話すたびに、個人の懐から電話会社へと金が流れているのだ。」(第2段落)

B＝電話会社

3：正解

問3

③牧場に囲われて、シーズンごとに毛を刈られる羊が何の比喩かを読み取る。

「牧場」＝携帯電話のある環境

「シーズン」＝携帯料金の支払い時期

「毛を刈られる」＝お金を取られる、つまり自分の持っているものを奪われる

「羊」＝人間

つまり、③下線部は、携帯を使って快適な生活をしているつもりで、実は無駄なお金を払わされて
いる人間のことである。

1：安全な環境を買おうという話は書かれていない。

2：毛を刈られることは、身ぎれいにしてもらうという意味ではない。

３：「牧場に囲われて」は世間知らずだという意味ではない。

４：正解

問 4

段落ごとの内容をまとめる。

第１〜３段落：　携帯電話を使うコミュニケーションには常に金がかかる。

第４〜９段落：　携帯電話が便利になったとは金を集める方法が巧妙になったということ。

第10〜13段落：人々は無駄なコミュニケーションに金を払わされていると気づいていない。

第14〜15段落：以上のことに目覚める若者がいない。目覚めさせるよう教育したほうがいい。

１：携帯電話の機能を十分に使いこなしていないことをもったいないとは言っていない。

２：正解

３：犯罪にまで巻き込まれる危険性があるとは書かれていない。

４：買う必要があるコミュニケーションかどうか選別すべきであるとは言っていない。

練習60

ＡＢＣとも、インターネットの掲示板に書かれた文章である。ポットに対する評価が書かれている。

問 1

選択肢１〜４の情報が、ＡＢＣにあるかどうか見る。

１：Aにしか書かれていない。

２：正解（A「お湯もびっくりするぐらい早く沸くし、値段もお手頃だし」、B「値段につられて」「お湯を沸かす時間が短くて」、C「お湯が沸くまでの時間は２〜３分で、あっという間」「最大の特徴は価格が安いこと」）

３：Cにしか書かれていない。

４：内部の量が確認できることは、Cにしか書かれていない。大きさがちょうどいいとは書かれていない。

問 2

ＡＢＣを見て、ポットの「欠点」を探す。

Ａ：欠点については書かれていない。

Ｂ：「使い始めてからしばらく」は「プラスチックのにおい」がする。

Ｃ：「プラスチック臭が少し」ある。「注ぎ口にフタがなく、誤って転倒させたら大やけどをするおそれ」がある。

１：安っぽく見えるとは書かれていない。

２：電気代がかかるとは書かれていない。消したことがわかりにくいとは書かれていない。

３：Ｃにはポットを倒すと危ないと書かれているが、使い方が難しいとは書かれていない。

４：正解

[問3]

ＡＢＣのポットについての評価（満足しているか）を比べる。

Ａ：満足していると述べている。

Ｂ：とてもいいと思ったと述べている。ただしにおいや味に敏感な人にはすすめていない。

Ｃ：第１段落に書かれていることは、すべて満足している点である。
　　第２段落には、小さな子どもがいる人、大人数で使う人にはすすめないと書かれている。

１：Ｂは満足している。

２：Ｃは満足している。

３：正解

４：Ａは問題点を指摘していない。ＡとＢはメーカーへの改善は特に望んでいない。

🔳 練習61

Ａは、ホウカイさんが書いたメールである。件名「忘年会の件」。マリアさんと髙橋さん宛てである。

Ｂは、髙橋さんが書いた、Ａに対する返信メールである。マリアさんとホウカイさん宛てである。

[問1]

ＡＢから、「桃の花」の情報を探し、それが「候補となる理由」かどうか見る。

ホウカイ（Ａ）：「友達がアルバイトをしている店があります。

　　　　　　　　「桃の花」という店で、１割引きにしてくれるそうです。」

１：ホウカイさんが実際に行ったかどうか、おいしかったかどうかは書かれていない。

２：髙橋さんの友達ではない。

３：正解

４：ホウカイさんがすすめている。髙橋さんがすすめているのではない。

[問2]

ＡＢから、マリアさんがすることを探す。

ホウカイ（Ａ）：「マリアさん、以前にお貸しした『冬のソナチネ』のＤＶＤを忘年会の日に持って来
　　　　　　　　ていただけますか。」

１：店を予約するのはホウカイさん（Ａ）。

２：店を予約するのはホウカイさん（Ａ）。

３：コンサートの切符は高橋さんがくれる（Ｂ）。

４：正解（ＡのP.S.（＝追伸））

問3

ＡＢの情報を合わせて、3人全員の都合のいい日を読み取る。

ホウカイ（Ａ）：23日以降はいい、28日は都合が悪い（会社の忘年会）

高橋（Ｂ）：　　24日〜27日は都合が悪い

マリア（Ｂ）：　30日から都合が悪い（スキー）

全員都合がいいのは、23日と29日

１：両日ともホウカイさんが参加できない（Ａ）。

２：22日はホウカイさんが参加できず（Ａ）、30日はマリアさんが参加できない（Ｂ）。

３：24日は高橋さんが参加できない（Ｂ）。

４：正解

練習62

ＡＢとも、新聞の投書欄に載った「現在の若者」に関する文章である。

問1

選択肢1〜4の情報が、ＡＢにあるかどうか見る。

１：Ａにしか書かれていない。

２：どちらにも書かれていない（Ａはインターネットに言及しているが、普及率は書かれていない）。

３：正解

４：どちらにも書かれていない（Ａは経済の悪化に言及しているが、理由は述べていない）。

問2

ＡＢから「若者の海外旅行離れ」の原因を探し、それを比べる。

Ａ：「…経済の低迷のせいもあろうが、最も大きな要因はITの普及にあるのではないか。」

Ｂ：「…日本人はシンボルに消費することのむなしさを知ったのだ。」

１：Ａは経済的な理由も認めているが、「最も大きな要因はITの普及」だと述べている。
　　Ｂは「シンボルに消費することのむなしさ」という心理的な側面を強調している。

２：正解

３：Ｂは、若者が無気力になっているとは述べていない。

４：Ａは、若者にとって海外旅行は「めんどうで無駄なこと」だと述べているが、若者にめんどうなことを嫌う傾向があるとは述べていない。Ｂは、海外に憧れる気持ちについては述べていない。

ＡＢの筆者の意見を探し、それを比べる。

Ａ：「若者の関心は「外」に向かなくなりつつある。だが、はたしてそれは健全な社会と言えるだろうか。」（いや、健全とは言えない：反語）　←若者に対して批判的

Ｂ：「車や海外旅行への関心の低さをことさらに取り上げ、若者の「外」への無関心さを大げさに嘆くような論調である。」　←「若者への批判」に対して批判的

「これは「退化」ではなく、ある種の「成熟」であろうと私は思う。」　←若者に対して肯定的

4：正解

練習63

Ａは契約書の一部、Ｂは契約書のチェックリスト、Ｃは賃貸契約に関する情報である。

問 1

Ｂの①～⑧がＡに書かれているかどうか探す。

①は第２条、③は第３条、④は第４条、⑧は第５条に書かれている。

2：正解

問 2

Ａを見て「140,000円」の意味を探す。

第４条に140,000円は敷金であると書かれている。

ＣのＱ１「敷金って何？」を見る。

「部屋の契約後、解約して引っ越すときまで貸主に預けておくお金」「家賃２か月分が一般的」「家賃の滞納、入居者負担で部屋の修理をするときに、ここから引かれますが、基本的には戻ってくるお金」

3：正解

問 3

Ａの第６条「(解約)」

「甲又は乙が、本賃貸借契約を解約するときは、相手方に対し前もって解約の申し入れをしなければならない。」

甲＝貸主＝サクラ不動産

乙＝借主＝キム・スヨン

「乙（＝キム・スヨン）が解約の申し入れをする場合には２か月前にしなければならない。」

1：契約期間中であっても前もって貸主に申し出れば解約することができる。

2：契約書に２か月前と書かれている。

3：正解

4：6か月前までに知らせなければならないのは、甲（＝貸主）が解約する場合。

練習64

マンションの掲示板に貼られていた「消防設備点検のお知らせ」である。

問1

問い：11月9日、用事で留守にする場合、どうしたらいいか。

選択肢：必ず在宅？　電話して、伝える？　何も連絡しなくてもいい？

「＊11月9日（水）の点検日当日お留守の場合」を見る。

「11月11日（金）9:00〜16:30の間に再度点検にお伺いいたします。」

つまり、11月11日9:00〜16:30に在宅できるなら、何も連絡しなくてもいい。

3：正解

問2

問い：11月9日から1週間留守にする。家を出るのは午後である。どうしたらいいか。

選択肢：いつまでに？　電話で連絡する？　管理センターに「変更ご希望票」を出す？

11月9日午前は在宅できる。11月11日と13日は不在である。

つまり、9日の午前を指定すればいい。

「時間帯」「変更」を本文から探す。

「＊当日は、…、時間帯のご希望がございましたら、事前に「変更ご希望票」を管理センターまでご

提出ください。ご希望による点検時間帯は先着順に決めさせていただきます」

先着順＝早い人から決めていく方法

つまり、締め切り日にかかわらず、できるだけ早く出したほうがいい。

1：エービーシー（株）に電話で知らせるのではない。

2：エービーシー（株）に電話で知らせるのではない。

3：11月7日が締め切り日だが、「先着順」なのでもっと早く出したほうがいい。

4：正解

練習65

ジャズ・フェスティバル出演者募集の広告である。

問1

問い：応募するのに必要なものは何か。

選択肢：過去の演奏の録音？　参加費？　応募用紙？　演奏順の希望？

「応募方法」を見る。

「専用の応募用紙にご記入の上、過去の演奏の録音を必ず添えて、やまゆり市民会館まで…」

1：参加費は参加決定後でよい。応募用紙が必要である。

2：正解

3：参加費は参加決定後でよい。

4：参加費は参加決定後でよい。演奏順の希望は出せない（一任＝すべて任せること）。

問2

問い：選考結果を知るにはどうしたらいいか。

選択肢：3月18日？　3月25日？

　　　　　郵送？　市民会館で発表？　市報に載る？　インターネットで発表？

「選考結果」を探す。「《注意》(3)」を見る。

「(3) 出演者の選考結果は、応募締め切り後1週間程度で発表する予定です。やまゆり市ホームページ「アマチュア・ジャズ・フェスティバル2011」のページでご確認ください。」

1：3月18日は応募締め切り日である。選考結果は郵送されてくるのではない。

2：選考結果はやまゆり市民会館で発表されるのではない。

3：市報「やまゆり市だより」の公演案内に選考結果が載るのではない。

4：正解

練習66

市報に載ったパソコンリサイクルについてのお知らせである。

問1

問い：平成19年に買ったパソコンを処分するにはどうしたらいいか。

選択肢：どこに申し込む？　こん包は？　どこかに持って行く？　回収してもらう？

「1．回収の申し込み」を見る。

「メーカーの受付窓口に回収の申し込みを行います。」

「3．パソコンのこん包とエコゆうパック伝票の貼り付け」を見る。

「リサイクルするパソコンをこん包し、送付された「エコゆうパック伝票」を見やすい場所に貼ります。」(→パソコンの所有者がする)

1：正解

2：市のリサイクルセンターに申し込むのではない。

3：こん包は、郵便局の人がするのではない。

4：メーカーの再資源化施設に持ち込むのではない。エコゆうパックで送る。

問2

問い：PCリサイクルマークがないパソコンを処分するにはどうしたらいいか。

選択肢：どこに申し込む？　料金は？

「※PCリサイクルマークがついていない製品…」を見る。

「…各メーカー受付窓口に所定の方法を問い合わせてください。回収・再資源化料金を支払う必要

があります。」

1：正解

2：無料ではない。

3：市役所に申し込むのではない。

4：3R推進協会に申し込むのではない。

練習67

空手道場をネットで検索した結果の表である。

問1

問い：初めて空手を習う、週2回以上、という条件の場合、1年間の費用がいちばん安い道場はど

こか。

キーワード「初めて習う（＝初心者）」「週2回以上」「費用」「〜金」「〜料」を手がかりに情報を探す。

1：費用が高い（112,000円）。

2：週1回である。

3：正解（96,000円）

4：中上級者のみ。費用が高い（118,000円）。

問2

問い：週1回、午後7時半かそれ以降に始まる、という条件の場合、1年間の費用がいちばん安い

道場はどこか。

キーワード「週1回」「午後7時半か、それ以降」「費用」「〜金」「〜料」を手がかりに情報を探す。

1：費用が高い（106,800円）。

2：正解（95,000円）

3：開始は7時からである。

4：開始は7時からである。費用が高い（118,000円）。

練習68

11月に行われる祭り・イベントの一覧である。

問い：11月5日から7日まで神社で行われる祭りはいくつあるか。

「日程」を見る。

5日～7日→山城天神菊まつり、佐山夜祭り、林みつる祭り

「場所」「詳細」を見る。

神社→山城天神菊まつり、佐山夜祭り

つまり、2つである。

2：正解

問 2

問い：土曜日の夜行われる祭りはどれか。

火渡りの神事、山城天神菊まつり、佐山夜祭り、第36回靴のめぐみ祭り市、の中から探す。

「日程」を見る。

土曜日→火渡りの神事、山城天神菊まつり、第36回靴のめぐみ祭り市

「詳細」を見る。

夜→火渡りの神事

1：正解

模擬試験

問題1

似顔絵について書かれた文章である。

1

「似顔絵」と「肖像画」の対比に注目して、似顔絵についての筆者の考えを読み取る。

似顔絵と肖像画は「方向性」が「まったく逆」である。

・肖像画＝「立派で偉大にみえるように描く」＝「上昇の方向で造形する」

・似顔絵＝肖像画の逆

つまり、似顔絵は「モデル」を実物より偉大に見えるようには描かず、原寸大（＝実物そのまま）か、下降の方向で（＝偉大にみえないように）描くものだとわかる。

1：立派にみえるように描くのは肖像画である。

2：正解

3：モデルが偉大な人物かどうかではなく、どう描くかという点が異なっている。

4：モデル本人が絵描きに命じたかどうかではなく、絵描きがどう描くかが異なっている。

問題2

監視について書かれた文章である。

2

「マンション入り口」の監視カメラと、「コンビニや街路」の監視カメラの対比に注目して、筆者の考えを読み取る。

・マンション入り口のもの＝居住者かどうか確認する＝特定少数者の同定
・コンビニや街路のもの＝人々が犯罪を起こさないかどうか見る＝不特定多数者の監視

「監視」には、このように異なる二つの側面があるのだ、と筆者は述べている。

1：一つの映像から両方が同時に観察可能だとは書かれていない。
2：公共の場では使用すべきでないとは書かれていない。
3：正解
4：設置すべき場所と時間については書かれていない。

問題3

自然保護と開発について書かれた文章である。

3

「ここでもまた、①逆説的な構図がある。」

逆説的＝真理に見えることが通らず、真理に反するように見えることのほうが通る様子

「ここ」の指す内容（＝直前の文）を読み取る。対比に注目する。

・「自然とのかかわりが深いはずの人たち」（＝地元住民）
　　　　　　　　　　　　　　　：自然保護を叫びそうなのに、開発を主張する
・「かかわりが少ない人」（＝「よそ者」）
　　　　　　　　　　　　　　　：開発を主張しそうなのに、自然保護を叫ぶ

この現実が、真理に見えること（＝自然にかかわりが深い人は自然を守ろうとし、かかわりが少ない人は開発を優先する）とは逆になっているのである。

1：正解
2：山林を開発することが自然の保護につながっているとは書かれていない。
3：自然保護活動と人間の営みの衝突は、一見、真理に見えることである。逆説的ではない。
4：地元の振興発展のために自然保護活動をするのではない。

問題4

(株)ブックＫの商品管理課の王さんから、(株)サムの営業部の谷さんに送られたファックスである。

4

タイトルを選ぶ問題なので、ファックスを送った目的を探す。

「さて」の後を見る。

「さて、…倉庫の棚卸しを行います。注文受注、出荷処理は…翌営業日扱い(＝お届け日変更)になります」

1：棚卸しを行う12月16日は年末年始ではない。

2：在庫不足が出荷処理遅延の理由ではない。

3：正解

4：注文受付方法変更については書かれていない。

問題5

科学研究には分析が必要だということについて書かれた文章である。

5

「分類ができてしまえば科学研究は終わりかというと、①そんなことはない」

「そんなこと」＝「分類ができれば科学研究は終わり」

つまり、「そんなことはない」は「終わりではない(＝分類することがゴールではない)」という意味である。

4：正解

6

「②これでは蝶のコレクターと変わらない。」

「これ」＝蝶をたくさん集めて、記録し、知識を深めること(下線部の前の2文から)

「単なるコレクターから科学者に脱皮できるかどうかは、その先の分析にかかっている」とあるので、科学者＝分析する人、コレクター＝分析しない人、である。

つまり、「コレクターと変わらない」とは、いくら知識を深めても、分析をしない人は、「単なるコレクター」であって、科学者とは呼べないのだという意味である。

1：コレクターと同じであり、以下ではない。

2：「コレクターと変わらない」とは科学者と蝶のコレクターが同じだという意味ではない。

3：正解

4：「コレクターと変わらない」とは科学者と蝶のコレクターが同じだという意味ではない。

7

全体をまとめる。

第1段落：科学では「分ける」ことが重要である。

第2段落：分類は科学研究の始まりで、終わりではない。

第3段落：科学者は分析するが、単なるコレクターは分析しない。

第4段落：「多様性の根底にある法則を発見するため」には分析が必要である。

つまり筆者は、科学研究とは自然現象を分析し、自然界の法則を見つけることだと述べている。

1：自然現象を分けるだけではない。

2：正解

3：自然現象を収集し、分類し、記録するだけでは、コレクターである。

4：自然現象についての経験的な知識を深めるだけでは、コレクターである。

問題6

自分探し、自分磨きについて書かれた文章である。

8

「①「自分探し」といういい回しが苦手だ」

「自分探し」について書かれている第1〜2段落の内容から理由を読み取る。

筆者は第2段落で「自分への肥大した買い被りが気恥ずかしい。」と述べている。

「自分への肥大した買い被り」＝「今の自分は本来の姿ではないと思っている。…探している自分は、もっと素敵でいきいきとしていて知性に溢れた好人物…」

つまり、「自分探し」をしている人の、自分はもっとすばらしいはずだ、という思い込みが、苦手なのである。

1：嫌味なのは「鏡…あなたはいますよ」という筆者の発言である。「自分探しの旅に出る」という表現が嫌味なのではない。

2：劇的に変化すると考えているのは「自分探しに懸命な人々」で、筆者ではない。

3：幸福を招くかどうかについては書かれていない。

4：正解

9

「［Aは］②まったくおめでたい。」

「おめでたい」＝楽観的すぎて考えが足りない

前の文を見ると「…自分探しに懸命な人々は、旅に代表される環境の変化が、何か劇的な化学反応でも起こしてくれる（＝自分を大きく変えてくれる）と信じている。」とある。

ここから、A＝「自分探しに懸命な人々」だとわかる。

筆者は、環境が自分を変えてくれると信じている人々にあきれているのである。

1：「自分探しに懸命な人々は…おめでたい」は、筆者が思っていることである。

2：正解

3：「環境の変化が自分を変えてくれると信じている人々」が「おめでたい」のである。

4：「化学反応が起きると信じている人々」が「おめでたい」のである。

10

「自分磨き」について書かれている第4〜5段落から筆者の意見を読み取る。

「…すごく下品だと思う」(第4段落)、「…知的と勘違いしている」(第5段落)

筆者は「自分磨き」をする人々に対して否定的であり、批判していることがわかる。

1：正解

2：長所については書かれていない。

3：筆者は「自分磨き」自体を批判しているので、より上手に行う方法は提案していない。

4：女性が多い理由は書かれていない。

問題7

河川緑地について書かれた文章である。

11

「…普通の山林や、河川敷を「①整備」し、なぜか「緑地」になる以前の方が、遥かに豊かな生態系が保たれていたりする。」

ここから、「整備」は山林や河川敷を、緑地にすることであり、整備するの前のほうが「豊かな生態系が」ある、とわかる。

第4段落に整備の方法が具体的に書かれている。

ブルドーザーが入り、河川敷の自然を「根こそぎ潰して」、「コンクリートの土手に囲まれた真っ平らな芝生」の「緑地」にする。

つまり、「①整備」とは、もともとあった自然を潰し、人工的な緑を作ることである。

1：「緑のないところに、緑ができた、と思われるかもしれないが」、そのような「話は聞かない」と書かれている。

2：木や草が生えないようにするとは書かれていない。

3：余計な木や草だけを取り除いたのではない。ブルドーザーで「根こそぎ潰して」いる。

4：正解(人工的な自然＝コンクリートの土手に囲まれた真っ平らな芝生の「緑地」)

12

「人や犬が通った跡は、…曲がりくねった小道になり、…人々を守って、②水辺に誘う。」

つまり小道が、人々を水辺に誘うのである。

「冬は寒風から、夏は強い陽射しから人々を守って」とあるので、この小道はニセアカシアの林の中にあることがわかる。

林の中の小道はとても気持ちがよく、人々を水辺まで散歩しようという気持ちにさせるのである。

1：第2段落は、新しい河川緑地ではなく「ただの河川敷」のときの話である。

2：正解

３：水辺の植物のことは書かれていない。

４：涼しいことだけが、いい気持ちにさせる理由ではない。

13

「緑地」になる前と、なった後の対比に注目して、段落ごとに内容を見る。

第１段落：　「緑地」になる前のほうが、豊かな生態系が保たれていた。

第２段落：　緑地化する前の自然の豊かさについて

第３〜４段落：緑地化に伴う自然破壊について

つまり、緑地化前は豊かであった自然が、緑地化後は失われてしまったと述べており、文章全体を
とおして、筆者は緑地化に否定的であることがわかる。

１：ブルドーザーを使った作業は紹介しているが、その手順を伝えたいのではない。

２：河川緑地に対する近所の人の評価は書かれていない。（団地の奥さんたちと「日陰がなくなって、
　　やぁねえ」と言っていたのは、「緑地」が完成する前である。）

３：正解（疑問＝否定的な考え）

４：調査をしたとは書かれていない。

問題8

人が映画館に行くことの理由について書かれた文章である。

14

「かつての喫茶店が①そうだった。」
＝他人といるのに他人に見られず他人を見なくて済む「そんな空間」
＝映画館

１：コーヒーショップは喫茶店と違い、「その風情はない」と書かれている。

２：正解

３：「その風情はない」のはコーヒーショップで、喫茶店ではない。

４：ひとりにはなれない場所ではなく、ひとりになれる場所である。

15

「見るけれど見られない、②そんな存在になりたい…」
「そんな存在」は「[Aを]見るけれど[Bに]見られない」存在。
AとBが何かさかのぼって探す。
前の文「まるで…眼だけの存在（＝他人には見られない存在）になって外を見る」から、Aは「外」、
Bは「他人」だとわかる。
つまり、②そんな存在とは、外の世界を見るが、他人には見られない存在である。

1：正解

2：映画を見ることができないとは書かれていない。

3：じぶんのことを見るのではない。

4：安心しているかどうかは書かれていない。

16

「…③いつも他人のなかで右往左往している〈わたし〉自身から、解き放ちたい…」

前後から下線部の言い換えを探す。

「他人のなかで右往左往している〈わたし〉」

＝「他人のあいだで神経をひりひりさせている〈わたし〉」

神経をひりひりさせるとはどういうことか、「他人」との関係に注目し、前の部分から読み取る。

「他人の視線に疲れ、それからみずからを外すことで、じぶんを弛めている…」

つまり、他人のあいだで神経をひりひりさせる＝他人の視線を気にして神経を疲れさせる、ということである。

1：正解

2：人に助けを求めている、とは書かれていない。

3：「右往左往」は、他人の〈わたし〉自身への評価が高かったり低かったりすることではない。

4：ここでの「右往左往」は、ああしたほうがいいか、こうしたほうがいいか、と落ち着かない気持ちでいることの比喩である。実際に移動しているのではない。

17

段落ごとに内容をまとめる。

第1〜5段落：映画館＝自分は見るけれど他人からは見られない存在になれる場所

　　　　　　　→他人の視線から解放され、〈わたし〉から自分自身を解放する。

第6段落：　　群衆のなかでは、じぶんと他人との区別があいまいになるので不安が薄らぐ。

第7段落：　　映画館＝じぶんがだれでもなくなる心地よい場所＝孤独すら忘れる場所

つまり、人はいつも他人の視線を気にして疲れているので、他人から見られない場所、そして、じぶんが自分でなくなる場所を、心地よく感じる。人が映画館に行くのは、映画館がそのような場所だからだ、と筆者は述べている。

1：正解

2：他人を見たくないからではなく、他人に見られたくないからである。

3：孤独を楽しむのではなく、孤独であることを忘れるためである。

4：孤独に耐えられなくなって映画館に行くのではない。また、ひとりではないことを確認して安心するのではない。

問題9

Aは、有害サイト対策法について解説した新聞記事である。
BとCは、有害サイト対策法に対する読者の意見である。

[18]

Aを見て<u>11日</u>に成立した法律を探し、その内容を読み取る。
「「青少年が…できる環境整備法」（有害サイト対策法）」が11日に成立した。
「対策法は携帯電話会社やネット接続会社に対し…フィルタリングサービスの提供を義務づける内容。」
4：正解

[19]

BCから法律についての意見を探し、それを比べる。
B「この法律の<u>趣旨そのものは評価する</u>」（＝趣旨はすばらしいと思う）
　「だからといって、何でも<u>条例や法で規制するという考えには賛同できない</u>」
C「このような法律は必要だと思います」
B＝趣旨には賛同しているが、法制化には賛成していない。
C＝成立に賛成している。
1：正解

[20]

BとCの意見を見て、共通点を探す。
B「ネットの…対処のしかたを学ばせるべきである。そのような判断力をつけさせる<u>教育の制度化</u>こそ望まれる。」
C「子供たちが適切にインターネットを使用するようになるための<u>メディア教育</u>が重要なんじゃないでしょうか。」
1：Bにしか書かれていない。
2：Cにしか書かれていない。
3：正解
4：法律によるメディア教育の義務化が必要だとはBCいずれにも書かれていない。

問題10

人々の生き方の変化について書かれた文章である。

[21]

「このような変化（＝性別分業意識が弱まったという変化（第1段落））の背景には、…長寿化に伴う

①ライフコースの変化があります。」

「長寿化に伴う」とあるので、①ライフコースの変化は長寿化を背景としていることがわかる。

長寿化を背景とする変化を探す。

「長寿化で…「その後の人生」を考えなければならなくなりました。」

つまり、寿命が長くなったため、退職後の人生も長くなったという変化である。

1：女性の考えが変わったのは、ライフコースの変化の結果である。ライフコースの変化自体を指

　　　しているのではない。

2：「経済状況の変化…とともに（＝と並んで）」ライフコースの変化があると書かれている。経済

　　　の伸び悩みはライフコースの変化の理由ではない。

3：正解

4：核家族が増えて、夫婦が役割分担するようになったとは書かれていない。

22

「ライフコースの変化は、…②男性にも決定的な影響を与えることになりました。それは…ことで

す。」「それ」は「影響」を指しているので、その内容を見る。

「それは、「一家の稼ぎ手」という役割を定年で終えたあと…どのように家族の絆を持ち続けられる

かという課題に直面すること…」

つまり、収入を得ない男性は家庭での「役割」がなくなるため、家族とのつながりが弱まるという

課題に直面するのである。

1：家事を分担したいと考える男性については書かれていない。

2：正解（家族のなかで必要とされていないと感じる＝家族の絆が持てない）

3：生きがいが見つからないとは書かれていない。

4：会社が精神的な居場所だとは書かれていない。

23

「いまや一人の男性が妻子に対して一生経済的責任を負うなどということは、不可能ではないとし

ても無理な時代になっています。③無理をすれば夫にとっても妻子にとっても、…幸せな状態では

ありません。」

文をさかのぼると、「無理な時代」とある。

ここから、無理をするとは、夫が一人で家族を一生養おうとすることだ、とわかる。

1：正解

24

各段落をまとめる。

第1段落：夫婦の性別分業（＝夫は外で働き、妻は家庭を守る）を当然とみなす意識は弱まっている。

第2段落：意識変化の背景には、ライフコースの変化がある。

第3段落：ライフコースの変化は家族のあり方に影響を与えている。

第4段落：男女の役割分担が柔軟になれば、家族の絆は深まるだろう。（＝筆者の主張）

筆者は、ライフコースの変化が家族に与える影響（＝家族の絆という課題）について述べ、この課題を乗り越えるためには、男女の役割分担を柔軟にするべきだと言っている。

1：女性が外に出ることによって家族の関係が良くなるとは書かれていない。

2：正解（男女の役割を固定化しない＝役割分担が柔軟）

3：男性だけでなく、女性への助言も書かれている（「妻・母親が経済力をもっていれば…」）。

4：教育レベルや情報化については、筆者は意見を述べていない。

問題11

東京近郊にあるおすすめの温泉リストである。

[25]

日帰り（＝入浴のみ）、露天風呂、安いという条件で探す。

1：「料金800円」より、選択肢4「入浴のみ500円」のほうが安い。

2：露天風呂がない。

3：日帰りは不可。

4：正解

[26]

伝統的な日本家屋、おいしい和食が食べられる、駅から徒歩5分以上なら送迎サービスが必要という条件で探す。

1：旅館ではない。和食がおいしいとは書かれていない。

2：伝統的な日本家屋ではない（7階、近代的）。

3：駅から徒歩15分だが、送迎サービスがない。

4：正解